POUR LE MEILLEUR...
JAMAIS LE PIRE

Prendre en main son devenir

Francine Bélair

RENÉ

POUR LE MEILLEUR...
JAMAIS LE PIRE

Prendre en main son devenir

Francine Bélair
Préface du Dr William Glasser

Chenelière/McGraw-Hill
MONTRÉAL • TORONTO

Pour le meilleur... jamais le pire
Prendre en main son devenir

Francine Bélair

© 1996 Les Éditions de la Chenelière inc.

Coordination: Pierre-Marie Paquin
Révision linguistique: Michelle Martin
Correction d'épreuves: Pierre Phaneuf
Infographie: Rive-Sud Typo Service inc.
Couverture: Josée Bégin
Conception graphique: Josée Bégin

Données de catalogage avant publication (Canada)

Bélair, Francine

    Pour le meilleur... jamais le pire: prendre en main son devenir

    Comprend des réf. bibliogr.

    ISBN 2-89461-064-5

    1. Actualisation de soi.   I. Titre.

Bf637.S4B438 1996   158'.1   C96-940775-0

Chenelière/McGraw-Hill
7001, boul. Saint-Laurent
Montréal (Québec)
Canada H2S 3E3
Téléphone: (514) 273-1066
Télécopieur: (514) 276-0324
Courrier électronique: chene@dlcmcgrawhill.ca

ISBN 2-89461-064-5

Dépôt légal: 3e trimestre 1996
Bibliothèque nationale du Québec
Bibliothèque nationale du Canada

Imprimé et relié au Canada

5 6 7 8 TN 11 10 09 08

Remerciements

L'écriture, contrairement à ce que je croyais, ne se réalise pas dans la solitude. Bien sûr, il y a des moments où l'auteur est seul face à l'ordinateur ou sa feuille de papier. Après le premier jet, l'écriture devient un geste de collaboration.

Écrire est aussi un geste d'humilité. Plusieurs ont collaboré à ce livre, certains par leurs attentes, d'autres par leurs questionnements, tous par la confiance qu'ils m'ont témoignée.

Deux personnes se sont particulièrement distinguées. Michel, mon compagnon de vie, m'a soutenue, encouragée, écoutée, a commenté et relu l'ouvrage. Lucienne Aubert, ma belle-soeur, m'a aidée à mieux structurer ma pensée.

Merci pour tout, merci de vous être engagés pour le Meilleur...

Francine Bélair

Table des matières

Préface

Pour le meilleur... jamais le pire

Nous croyons que nous avons la responsabilité de contribuer à changer le monde. Notre tâche, dans les années à venir, consistera à faire partager nos connaissances sur la théorie du contrôle, la thérapie de la réalité et la gestion-qualité à un public large et varié.

Nous sommes d'avis aussi que la motivation de l'apprentissage est intérieure et que c'est sa présence en nous qui nous mène à comprendre un sujet en profondeur. Francine Bélair, grâce à ses contributions personnelles et professionnelles, concourt à rendre la théorie du contrôle, la thérapie de la réalité et la gestion-qualité accessibles à la population de langue française.

Entrée à l'Institute for Control Theory, Reality Therapy and Quality Management en 1979, Francine fut la première francophone à devenir conseillère agréée en thérapie de la réalité. Par la suite, elle s'est attachée à diffuser ses idées au Québec d'abord, puis dans les autres provinces du Canada et enfin aux États-Unis. Aujourd'hui professeure émérite à l'Institute, elle fait l'admiration de tous en raison de son dynamisme, de son respect envers elle-même et envers les autres ainsi que de son aptitude à simplifier les concepts complexes de la théorie du contrôle, de la thérapie de la réalité et de la gestion-qualité.

Francine continue d'aller de l'avant et s'occupe à élaborer des expériences d'apprentissage signifiantes, à employer des méthodes d'enseignement efficaces, à offrir de la formation, à faire de la consultation et de l'encadrement et à donner des conférences.

Et voici qu'elle nous livre un ouvrage simple, universel, pragmatique et interactif sur la théorie du contrôle, la thérapie de la réalité et la gestion-qualité. Elle y explique que nos comportements constituent toujours les meilleurs moyens à notre portée pour maîtriser les situations et que ce sont d'eux que découlent nos choix, efficaces ou non.

Ce livre, le premier du genre écrit en français, facilitera notre cheminement vers le meilleur... jamais vers le pire.

Dr William Glasser

Avant-propos

En cette période de changement, de réajustement et de réorganisation importante qui devrait se poursuivre dans les années à venir, il va sans dire que ce livre arrive à point pour tous les parents, les professionnels de l'éducation, de la santé, des services sociaux et pour tous les autres leaders de notre société qui désirent améliorer la qualité de vie et de productivité de chaque individu.

En effet, ceux et celles qui ont eu le privilège d'assister aux ateliers de formation de Francine vous diront que ce livre était très attendu. Non seulement parce qu'il existe très peu de livres en français expliquant les principes de la théorie du contrôle du Dr William Glasser et de ses applications à travers la thérapie de la réalité, mais plutôt à cause de l'aspect pédagogique que Francine a su y apporter pour en faciliter la compréhension. De plus, vous y trouverez des moyens pédagogiques efficaces qui vous permettront de transmettre ces concepts à vos enfants, élèves, clients, employés, collègues, patrons, conjoints ou amis.

Francine vous dira que cette approche n'est pas miraculeuse, mais elle vous confirmera qu'elle lui a toujours été bénéfique et qu'elle respecte en tous points ses valeurs comme individu, conjointe, mère et intervenante. J'ajouterai que nombreux sont les commentaires positifs en provenance des participants qui ont mis ces principes en pratique. On remarque, entre autres, l'efficacité de cette approche lorsqu'on aide les gens à se responsabiliser et à s'auto-discipliner.

Les exemples et les exercices que vous trouverez dans ce livre sont présentés de façon à faciliter l'intégration continue des principes expliquant le pourquoi du comportement des êtres humains. Vous découvrirez également des moyens concrets permettant d'aider ces derniers à reprendre le contrôle de leur vie en choisissant d'apprendre de nouveaux comportements qui seront tout aussi satisfaisants pour eux et qui seront davantage responsables et adaptés à la société dans laquelle nous vivons.

Ceux et celles qui cherchent des pistes de solutions efficaces dans le but de créer des milieux où chacun perçoit que l'apprentissage que l'on y fait ajoute de la qualité à leur vie en plus d'augmenter la qualité de production de chacun, sauront certainement s'inspirer des idées qui se trouvent à l'intérieur de ce livre.

Enfin, ce livre s'adresse à tous ceux et à toutes celles qui souhaitent devenir de meilleurs parents, professionnels, leaders ou tout simplement la personne de leurs aspirations.

Gilbert Losier
Services aux élèves
Ministère de l'Éducation
Nouveau-Brunswick

INTRODUCTION

À l'intérieur de mes activités professionnelles, je donne régulièrement de la formation en théorie du contrôle, en thérapie de la réalité et en gestion-qualité. Au fil des dix dernières années, j'ai mis au point du matériel didactique varié, constitué de cahiers d'exercices et de documents vidéo, que j'utilise pour aider les participants à mes sessions de formation. À plusieurs reprises, toutefois, mes clients ont déploré l'absence de livres de vulgarisation en français relatifs à la théorie du contrôle. Leur insistance m'a encouragée à concevoir le présent volume.

Si vous n'êtes pas déjà familier avec les concepts de la théorie du contrôle ou de la thérapie de la réalité, vous éprouverez peut-être, tout comme moi, un léger malaise devant la désignation de «théorie du contrôle». Au cours des premières années de ma pratique professionnelle, j'ai utilisé cette expression pour traduire, auprès de publics francophones, l'essentiel de la *Control Theory*, formée d'un ensemble de concepts élaborés conjointement par deux Américains, William Glasser[1] et William Powers, au début des années 1980.

Avec le temps, les échanges avec mes collègues et les réactions des participants aux sessions de formation que j'ai animées m'ont encouragée à rechercher une expression plus appropriée pour désigner cette approche. C'est ainsi que j'en suis venue à préférer l'expression **théorie du système directionnel (TSD)** pour la désigner. En effet, l'intervention dite «aidante» connue sous les noms de «*Reality Therapy*», «thérapie par le réel», «thérapie de la réalité» et «réalité-thérapie» n'a de raison d'être, en effet, que lorsque le système directionnel d'un individu est en panne ou, à tout le moins, en difficulté de marche.

Bien évidemment, il ne suffisait pas de traduire uniquement le nom de la méthode du Dr Glasser. Graduellement, l'objectif de vulgariser, pour un public francophone, l'ensemble des concepts avec lesquels je m'étais familiarisée aux États-Unis s'imposait à moi. Très rapidement, toutefois, j'ai voulu déborder de ce cadre théorique. En effet, à travers mon expérience de praticienne, j'ai conçu et expérimenté un certain nombre d'outils permettant d'appliquer concrètement les principes et les approches du Dr Glasser. Je me suis donc proposé de partager, également auprès d'un public élargi, le fruit de mes réflexions et de mes expérimentations.

Vous l'aurez deviné, le présent livre se veut à la fois théorique et pratique. Dans son volet théorique, il propose une clarification des concepts de base de la théorie du système directionnel, de même que les trois clés qui gouvernent son application. Du côté pratique, il contient une foule d'exemples et des exercices permettant d'apprendre à mettre en pratique la méthode dans diverses situations.

À qui s'adresse ce livre? Dans un premier temps, l'ouvrage a été conçu à l'intention des intervenants professionnels comme les professeurs et les enseignants, les professionnels dans les domaines des services sociaux et de la santé, le personnel des centres d'accueil et des services correctionnels. De façon plus large, il devrait intéresser les aidants naturels, c'est-à-dire toutes les personnes désireuses d'aider, de manière ponctuelle ou prolongée, une personne de leur entourage, qu'il s'agisse d'un enfant, d'un conjoint, d'un ami, d'un employé, d'un collègue ou même — pourquoi pas? — d'un patron. Ultimement, toute personne intéressée à se développer personnellement, à mieux se comprendre et à mieux prendre en main son devenir y trouvera matière à réflexion.

L'ouvrage que je vous propose s'appuie sur des bases théoriques solides. Cependant, il n'a pas la prétention d'être un traité savant destiné à enrichir les discussions. Au contraire, il est tout entier tourné vers l'action et la manière de concrétiser les projets qui amélioreront votre existence. Ce livre véhicule des connaissances qui, j'en suis convaincue, demeureront lettre morte sans votre mise en oeuvre. Vous êtes la personne importante de ce livre, car c'est vous qui allez le faire vivre.

Vous le savez bien, chacun de nous apprend ce qu'il veut bien apprendre. Et, règle générale, plus nous jugeons que les résultats d'un apprentissage nous seront utiles, plus nous sommes prêts à consentir à faire les efforts et à subir les pertes nécessaires à cet apprentissage. Pourquoi parler d'efforts et de pertes? Parce que, dans le changement dirigé vers la croissance, nous adoptons des comportements plus satisfaisants, mais nous perdons également des habitudes qui, d'une manière ou d'une autre, étaient rassurantes. Ces deux pôles, gagner et perdre, sont importants, et il faut en être conscients pour assurer la qualité de l'intégration du nouveau comportement.

Pour vous permettre d'expérimenter immédiatement l'approche à laquelle je vous initie tout au long de ce livre, je vous invite dès maintenant à vous poser les questions suivantes :

- Dans quel secteur de ma vie est-ce que je veux apporter une amélioration?

- Qu'est-ce que j'espère gagner grâce à cette amélioration?

- Qu'est-ce que je risque de perdre en faisant ce changement?

- Comment ce livre peut-il m'aider?

Je ne peux répondre aux trois premières questions, car elles sont du domaine personnel et elles demeurent votre secret. Cependant, je peux répondre, au moins en partie, à la quatrième. Ce livre pourra vous aider si vous l'abordez d'une manière active. Prenez les énoncés avec un grain de sel. Réfléchissez-y. Remettez-les en perspective dans votre propre contexte de vie. Faites les exercices suggérés, à votre rythme à vous. Prenez votre temps. Conservez votre sens critique. Et, sans vous affliger des inévitables retours en arrière, mesurez vos progrès.

N'est-ce pas ça, chercher le meilleur... jamais le pire?

I

LES
BESOINS

Les fondements
du comportement humain

Selon la théorie du système directionnel, que je désignerai dorénavant par l'abréviation TSD, il existe un postulat fondamental pour expliquer les conduites humaines. Ce postulat est le suivant :

Nous dirigeons l'ensemble de nos comportements vers le moyen que nous jugeons le plus approprié pour atteindre un objectif «interne» quel qu'il soit.

L'atteinte de cet objectif «interne» repose sur des besoins fondamentaux communs à tous les êtres humains, étant donné qu'ils font partie du bagage génétique de l'humanité. Selon la TSD, ces besoins sont la **SURVIE**, l'**APPARTENANCE**, le **POUVOIR**, le **PLAISIR** et la **LIBERTÉ**.

Le présent chapitre sera consacré à la présentation de ces différents concepts. Pour en faciliter la démonstration, les besoins seront présentés de façon pure, comme des entités séparées. Dans la réalité, toutefois, les besoins se juxtaposent, s'entrecroisent et se conjuguent dans un mouvement infini de comportements susceptibles de procurer la satisfaction recherchée. Un exemple tiré de mon quotidien permettra d'illustrer mon propos.

Lundi matin, 6 h 45. Le réveil est brutal. Joël LeBigot, mon animateur radio préféré, rit à gorge déployée. Je suis dans mon lit et je sens mes muscles endoloris; j'ai mal dormi. Au fait, ai-je vraiment dormi? Par surcroît, il pleut à boire debout : je ne peux pas dire que la journée s'annonce bien! Je jette un regard morne au réveille-matin et je fais mentalement une grimace à ces commentateurs hilares qui discutent avec ravissement de ce qu'ils ont vu, entendu ou écouté la veille. N'ont-ils pas une vie normale, eux? Une vie comme la mienne, quoi! Je les entends parler de la dernière exposition, du film tant attendu, de la sortie du dernier disque de…, de la pendaison de la crémaillère chez…, et moi je me sens l'âme d'une pendue. Pourtant, dans quelques minutes, non, dans quelques secondes, je vais entendre une succession de petits pas rapides se diriger vers ma chambre... un grand boum... et sentir un petit corps chaud se blottir tout contre moi. Et là, j'oublierai toute la fatigue et le ressentiment occasionnés par une nuit blanche.

C'est ainsi qu'avec ce petit bonheur, mon petit bonheur à moi, je me réveille une seconde fois. Vite, la douche, les vêtements, le déjeuner, la coiffure, le maquillage, le brossage de dents, le koala de peluche, le sac d'école, le porte-documents, et hop! dans l'auto, tout le monde au boulot! La petite à la garderie, la grande à l'école, le papa au bureau et la maman en formation quelque part, jamais au même endroit, jamais avec les mêmes visages! Ah! j'oubliais! Une série de baisers bruyants, des câlins gros comme le ciel et un «je t'aime» tout chaud.

Et le soir venu, je raconterai ma journée : ce que j'ai aimé, ce qui m'a déplu, ce que j'aimerais recommencer, ce que j'ai appris, les choix que j'ai faits... Vivement vendredi que l'on fasse autre chose!

L'épisode qui précède a donné lieu à l'expression de différents besoins. Certains ont été satisfaits, d'autres pas. En effet, l'insomnie a nui à mon besoin de survie. J'ai été frustrée dans mon besoin de pouvoir par l'agacement ressenti en entendant le bavardage radiophonique. Par contre, mon besoin d'appartenance a été comblé par l'arrivée de ma fille. La possibilité de raconter les joies et les difficultés de la journée a satisfait mon besoin de plaisir, tandis que la perspective de sortir des contraintes du travail quotidien m'a procuré un sentiment de liberté.

À tout moment, un geste, un soupir, une pensée, une indécision reflète nos tentatives pour satisfaire nos besoins fondamentaux, nos succès ou nos échecs. En fait, nous passons notre vie à tenter de répondre à nos besoins. C'est pourquoi nous avons appris toute une panoplie de comportements pour atteindre ce but ultime.

Dans la vie, plusieurs besoins peuvent s'exprimer ensemble ou en succession rapide. Pour que ce soit plus facile à démontrer, je vais les décrire séparément au cours des prochaines pages, mais les décortiquer ainsi ne rendra pas justice à leur grandeur ni à leur intensité. Essayez pourtant de faire éclater les définitions suivantes, de dépasser les mots pour ne retenir que les concepts. L'exercice en vaut la peine.

Le besoin de survie

Le besoin de survie est constitué d'un ensemble de pulsions dont la satisfaction concourt au maintien de la vie de notre corps. Ce besoin semble situé dans la partie du cerveau appelée cerveau reptilien ou vieux cerveau. Respirer, éliminer, ingérer, produire les hormones et les anticorps nécessaires à la vie ne sont que quelques éléments reliés au besoin de survie. Pour satisfaire ce besoin, l'être humain a adopté une série complexe de comportements comme ceux de manger, de boire, de dormir, de se protéger des intempéries ou des écarts de température grâce à des abris ou à des vêtements.

Le besoin de survie ne se limite pas à la nourriture ni au sommeil. Par exemple, quand je dois résider à l'hôtel, je demande une chambre située à un étage supérieur, sans porte communicante. Je stationne mon automobile près d'un lampadaire situé le plus près possible de l'entrée et j'évite de me trouver seule dans des endroits sombres. Ce sont là des comportements que j'ai adoptés en vue de satisfaire mon besoin de survie.

Dans les sociétés hautement industrialisées, les besoins associés à la survie demeurent importants et prennent des formes plus évoluées. Ainsi, le fait de pouvoir détenir un travail rémunéré ou, à défaut, de toucher des prestations d'assurance-chômage ou d'aide sociale répond maintenant à ce besoin pour plusieurs d'entre nous.

On associe également la reproduction au besoin de survie. En effet, pour que l'espèce humaine puisse se perpétuer, elle a besoin d'individus qui se reproduisent. Depuis la nuit des temps, les communautés humaines ont encadré la reproduction des individus en fonction de la reproduction de la communauté. Cet encadrement peut passer par une régulation sévère des naissances, comme ce qui se pratique actuellement en Chine populaire, ou, au contraire, par un encouragement à la natalité, comme ce qui se produit chez les juifs membres du hassidisme.

L'individu, à son tour, perçoit les signaux de ses propres besoins et les interprète sous l'influence de ses croyances, de ses valeurs et de ses apprentissages. Ainsi, pour répondre à un même besoin, les individus peuvent choisir des comportements aussi variés que l'abstinence sexuelle, la masturbation, ou encore une vie sexuelle active.

La satisfaction du besoin de survie est, bien sûr, essentielle. Cependant, dans les cas où ce besoin est comblé de manière raisonnable, une grande partie de nos malheurs vient de la douleur que nous percevons dans les yeux des autres, de nos rêves que nous ne réalisons pas, de la limite de nos mouvements ou de la dépendance à l'égard des autres. La TSD a été élaborée en Amérique du Nord, dans une société industrialisée au sein de laquelle la satisfaction des besoins physiologiques est relativement assurée. On ne se surprendra donc pas que, dans ce contexte, la TSD mette davantage l'accent sur les besoins à caractère psychologique et relationnel, sujet dont je vous entretiendrai maintenant.

Le besoin d'appartenance

Le besoin d'appartenance, comme les autres besoins physiologiques, trouve son origine à l'intérieur du nouveau cerveau, le cerveau limbique, où siègent nos émotions. Ainsi, chaque besoin psychologique est ressenti émotivement. Aimer et être aimé. La satisfaction du besoin d'appartenance se traduit chez beaucoup d'entre nous par une relation privilégiée telle que l'amour, la camaraderie, l'amitié. L'adhésion à un mouvement, à un clan, à une philosophie de vie, voire la recherche d'harmonie avec l'univers sont d'autres manifestations de ce besoin qui s'exprime la vie durant.

Dans sa plus simple expression, le besoin d'appartenance peut se traduire pour certains par un contact visuel avec un étranger dans l'autobus, la recherche d'un visage sympathique et agréable dans une salle de conférences austère, un sourire échangé avec un inconnu croisé dans la rue, le choix de vêtements selon les personnes à rencontrer. Chez certains bénéficiaires de centres d'accueil, l'appartenance s'exprimera simplement par la possibilité d'avoir des vêtements marqués à leur nom. L'itinérant pourra rechercher la satisfaction de son besoin d'appartenance dans le fait de posséder un espace personnel, ne fût-ce qu'un banc dans un parc pour coucher. Plusieurs clients des réseaux publics de la santé et des services sociaux trouveront réponse à leur besoin d'appartenance en disant : «mon» travailleur social, «mon» éducateur, «mon» cardiologue «à moi»...

Je me plais maintenant à associer ce besoin d'appartenance avec l'amour inconditionnel. Éprouver le besoin d'appartenance, c'est vouloir être persuadé, au plus profond de soi, que l'on est aimé pour soi-même, peu importe le succès ou l'échec, peu importe notre comportement ou les résultats de celui-ci. C'est ce que recherche votre enfant quand, après avoir fait une bêtise, il vous dit : «*Maman, m'aimes-tu quand même?*»

Avez-vous remarqué le peu de phrases d'amour inconditionnel que nous utilisons? Il y a quelque temps, j'ai été appelée à intervenir auprès d'un groupe de parents dans une commission scolaire en Estrie. Après avoir expliqué le besoin d'appartenance, j'ai demandé aux parents présents de relever avec un partenaire dans la salle les phrases d'amour inconditionnel qu'ils avaient pris l'habitude de dire à leurs enfants. À la surprise générale, personne n'a été capable d'en trouver plus de deux. J'avoue que j'ai été moi-même très étonnée de ce résultat. Au terme de la mise en commun, nous n'avions trouvé qu'une dizaine de phrases d'amour, alors qu'il devait y avoir au moins une trentaine de familles présentes dans la salle.

Après cette expérience, je me suis donc appliquée, auprès de mes enfants, à dissocier leur comportement de mes mots d'amour. Je me suis rendu compte que lorsque j'étais fière d'eux, ou encore lorsqu'ils avaient fait quelque chose de bien (selon mes critères, bien entendu), j'avais naturellement tendance, après les avoir félicités, à ajouter un petit «je t'aime». Vous remarquerez qu'il est, par ailleurs, beaucoup plus difficile de dire «je t'aime» à son enfant quand il vient de cracher au visage de la voisine! Ce n'est pas ce que je vous suggère de faire non plus, bien sûr! Vous seul avez le pouvoir de choisir ce qu'il convient de faire en pareille circonstance.

Vous et moi connaissons tous de ces adolescents qui affirment ne pas être aimés par leurs parents, ne pas se sentir acceptés tels qu'ils sont à la maison et qui proclament haut et fort : *«Ils ne m'ont jamais dit qu'ils m'aiment!»* Trop souvent, hélas! les uns et les autres ont associé «amour» et «bon comportement» dans une relation de causalité. Alors que l'adolescent à la recherche de son identité n'adopte pas toujours les comportements souhaités par ses parents, il comprend que ses parents réagissent selon les équations suivantes : bon comportement égale amour, mauvais comportement égale pas d'amour (rejet). C'est avec de la tristesse dans la voix que l'adolescent dira de ses pairs, de sa «gang» : *«Eux autres, ils m'acceptent tel que je suis.»*

En voyage, je suis une inconditionnelle du petit écran. Ma journée de formation ou de consultation terminée, j'occupe très souvent mes soirées à regarder distraitement des émissions de divertissement ou d'information à la télévision tout en lisant un bon roman, question de me gâter un peu. C'est dans ce contexte que, l'autre jour, une entrevue télévisée a attiré mon attention. Une adolescente expliquait à un journaliste ce qu'elle attendait de ses parents. Je dois avouer que ses propos étaient pour le moins percutants. Elle disait à peu près ceci : «Les parents lisent des livres comme Comment s'entendre avec les adolescents *ou* Comment comprendre les adolescents. *C'est un peu comme s'ils lisaient les livres* Comment élever votre chien, Comment mieux faire la cuisine, *ou encore* Comment rénover votre propriété.» Elle poursuivait :

«Je ne veux pas que mes parents me comprennent, je veux simplement qu'ils m'acceptent.»

Ce témoignage émouvant et fort explicite pourrait se passer de commentaires. Permettez-moi tout de même d'y aller d'une réflexion additionnelle avant d'aborder les autres besoins. Alors que certains téléspectateurs ont peut-être perçu, dans ces propos, uniquement les ferments de la révolte intérieure d'une jeune en conflit avec l'autorité parentale, il m'est apparu au contraire qu'il s'agissait bien là d'une illustration convaincante de la recherche d'amour inconditionnel par une jeune adulte.

Nous portons tous en nous ce besoin d'amour inconditionnel. D'aucuns trouveront l'amour inconditionnel dans le travail, d'autres le découvriront dans leurs relations affectives. Certaines personnes rechercheront l'amour inconditionnel à travers la drogue et l'alcool, alors que d'autres seront attirées par la spiritualité ou par l'adhésion à un mode de vie particulier. Les modes de satisfaction de ce besoin sont multiformes. Cependant, tout mettre en oeuvre pour combler ce besoin est une pulsion universelle.

Le besoin de pouvoir

Selon la TSD, le pouvoir est l'émotion reliée à l'expression d'un comportement à la recherche d'une certaine forme d'influence. Il va sans dire qu'il doit être compris dans son sens le plus large, le plus global. Il ne s'agit pas uniquement **du** pouvoir mais bien **de** pouvoirs, ce qui inclut différentes sortes de pouvoir et différentes manifestations de pouvoir. Ainsi, le terme peut englober des réalités aussi différentes que le pouvoir politique, la domination (pris dans le sens de l'exercice du pouvoir sur les choses ou sur les personnes), le pouvoir sur sa propre vie, ou encore le pouvoir d'être quelqu'un dans la vie.

Le pouvoir sur son propre corps

L'être humain peut exercer du pouvoir sur son corps, premier élément de contact avec la réalité. Avec les années, il apprend à manipuler son corps, à le soigner, à l'habiller, à le maquiller, à lui enlever les poils superflus, à le maintenir en forme, à lui faire faire de l'exercice. Il peut aussi lui faire mal par l'abus de nourriture ou d'alcool, l'usage du tabac, le manque d'hygiène, le recours à des mutilations ou au suicide.

Vous avez sans doute déjà vu un petit enfant faire une crise de colère. Il utilise tout son corps pour obtenir ce qu'il recherche. Non seulement crie-t-il, mais il serre les poings, il trépigne, il tape du pied, et il ira même jusqu'à se rouler par terre, si cela est nécessaire.

Marie-Aude, ma cadette, a su utiliser son corps pour nous faire comprendre son point de vue. Alors qu'elle avait environ deux ans, nous estimions qu'elle pouvait acquérir plus d'autonomie et nous avions décidé de passer des couches aux petites culottes! Marie-Aude, qui est une enfant charmante et conciliante, a accepté de bonne grâce de faire son pipi doré dans le petit pot. La difficulté apparut cependant avec l'élément solide, qu'elle refusait obstinément de faire dans le petit pot.

Bien sûr, Marie-Aude ne refusait pas d'aller sur le petit pot, bien au contraire. Néanmoins, le tout finissait dans sa culotte. Généralement, la cadette disparaissait dans les minutes précédant l'accident! Nous avons alors eu une conversation sérieuse avec elle, qui, je dois bien l'avouer, jubilait de sa nouvelle trouvaille.

Nous, les parents, nous avions le contrôle de la culotte. Marie-Aude, elle, avait le contrôle de son corps. Elle a même souffert de constipation plusieurs journées de suite. Comme nous étions à bout d'arguments, les négociations ont échoué. Nous avons capitulé et avons suggéré à Marie-Aude de nous avertir quand elle serait prête à «porter la culotte». Ce qui fut fait dans les jours qui suivirent.

Vous et moi exerçons régulièrement du contrôle sur notre corps. Par exemple, à la suite d'une dure journée de travail où nous nous sentons peu en contrôle, nous pouvons choisir de nous gâter en nous gavant de croustilles et de boissons gazeuses! De même, une adolescente qui souffre d'un manque d'attention pourra revenir du salon de coiffure la tête rasée d'un côté et les cheveux rouge et vert de l'autre! À quoi sert, selon vous, le corps tatoué ou percé de certains adultes? Bref, ce ne sont que quelques-uns des innombrables moyens que nous utilisons plus ou moins régulièrement pour obtenir l'effet recherché. L'être humain est imaginatif, créatif. Une fois qu'il aura épuisé son inventaire de comportements connus, il saura inventer toute une gamme de nouvelles façons d'exercer du pouvoir sur son corps.

Le pouvoir sur son environnement

Une autre façon d'exprimer notre pouvoir consiste à manipuler notre environnement matériel. Noircir ou verdir (selon le cas) l'écran d'un ordinateur, mettre de l'ordre dans son bureau, faire la cuisine, acheter des vêtements, décorer, faire de la peinture ou du macramé, lancer une balle ou une chaise, faire du vandalisme, briser de la vaisselle, tous ces comportements nous font entrer en contact avec le monde situé à l'extérieur de notre enveloppe charnelle pour obtenir un effet sur les objets.

J'ai souvenir de magnifiques automnes à la campagne au cours desquels mon mari et moi avons passé des journées à ébrancher les conifères dans notre pépinière. Le soir, nous nous exclamions qu'il faisait bon de voir le travail accompli. Comme il est souvent difficile de voir les résultats de notre travail quand celui-ci est d'ordre abstrait, nous avons adopté des comportements qui nous permettent de voir des résultats concrets.

Imaginez-vous à la fin d'une journée harassante et décevante au cours de laquelle vous n'avez pas obtenu de succès, où vous vous êtes senti le pantin de vos collègues, de vos clients, ou même de votre patron! Voyez-vous la scène? Vite, vous entrez à la maison, vous changez de vêtements et vous voilà lancé dans la frénésie du... rangement. Il faut que tout soit propre et à sa place. Vous reconnaissez-vous? Vous auriez pu choisir aussi de conduire votre véhicule de manière dangereuse, de cuisiner des repas pour les douze prochaines semaines, de jardiner, ou encore de claquer la porte en entrant dans la maison!

L'enfant qui conserve tous ses chefs-d'oeuvre et les enferme dans son tiroir exerce un contrôle sur les objets. De même, l'adolescent qui refuse de mettre de l'ordre dans sa chambre et l'adulte qui ne tolère pas qu'un objet soit déplacé sur son bureau établissent un rapport de pouvoir sur leur environnement.

Le pouvoir sur soi et sur les autres

Vient finalement l'expression de notre pouvoir non seulement sur notre corps ou sur notre environnement matériel, mais aussi sur soi comme être humain et sur les gens qui nous entourent. Nous voulons être **écoutés**, nous voulons être **reconnus** et nous voulons être **compétents**.

Commençons par la recherche d'**écoute**. Nous avons besoin de ressentir que nous sommes entendus dans ce que nous avons à dire, que cela soit important ou non. Si je réfléchis à ma vie professionnelle, je dois reconnaître qu'enseigner les principes de la TSD est probablement l'une des meilleures façons de recevoir l'écoute dont j'ai besoin. Cette activité satisfait bien mon besoin de pouvoir! Ce besoin est satisfait dès que vous acceptez d'entendre ou de lire mon discours, indépendamment du fait que vous soyez en accord ou non avec mes énoncés.

C'est pour satisfaire ce besoin que la communication est si importante dans notre société. Si nous créons des comités, des tables de concertation, si nous discutons autant, c'est fondamentalement pour être écoutés. D'une certaine manière, il n'y a pas de véritables problèmes de communication, puisque les gens communiquent, et même beaucoup. Cependant, s'écoutent-ils?

À l'université où je terminais mon baccalauréat ès arts, j'ai suivi un cours sur le cinéma français. Le professeur était désespérément timide; il bégayait, s'embrouillait dans ses explications. Il provoquait un profond ennui chez ses étudiants, qui bâillaient à qui mieux mieux, augmentant d'autant le malaise du professeur, qui en perdait graduellement tous ses moyens. C'était un cercle vicieux. Ennuyée par le cours, j'avais choisi une technique qui me permettait de mieux passer les heures. Je fixais le professeur dans les yeux et ne le quittais plus jusqu'à la fin du cours. Que s'est-il passé? Eh bien! celui-ci a commencé à me regarder plus souvent (en fait, je crois bien que j'étais la seule qui le regardait), à s'adresser directement à moi, mais surtout il est devenu progressivement plus à l'aise, plus intéressant, plus clair dans ses énoncés. Ce que j'ai fait bien innocemment à l'époque a été de répondre à son besoin de pouvoir; toutefois, pour être honnête, je dois dire que je ne l'écoutais pas avec la plus grande attention au début. Mon regard lui donnait le sentiment d'être écouté par au moins une personne dans le groupe, satisfaisant du coup son besoin de pouvoir envers les autres et envers lui-même.

Reprenez cet exemple à l'inverse et imaginez que vous parlez à quelqu'un qui regarde ailleurs. Vous ressentez probablement un sentiment de malaise, voire de colère, car vous ne vous sentez pas écouté ou pris au sérieux. Si cet interlocuteur est un enfant, vous lui direz peut-être : «*Regarde-moi quand je te parle!*» Si c'est un adulte, vous chercherez peut-être un moyen d'attirer son regard, vous le toucherez, vous vous rapprocherez de lui, vous hausserez le ton. En dernière instance, vous démontrerez votre exaspération en lui disant : «*Tu ne m'écoutes pas!*»

L'écoute seule ne suffit pas. Nous recherchons tous également l'**approbation** ou la **reconnaissance**. Dans certaines techniques, les intervenants sont formés à bien signaler leur écoute envers la personne aidée. Certains professionnels ont tellement développé leur capacité d'exprimer cette volonté d'écoute qu'ils en ont même oublié d'aller plus loin. Avez-vous déjà entendu une personne en colère dire à un collègue ce qu'elle pense d'une situation frustrante vécue avec celui-ci et se faire répondre le plus candidement possible : «*Je te reçois là-dedans...!*» Ce genre de réponse, plein de bonne volonté, contribue généralement à augmenter la tension au lieu de favoriser la conciliation.

Nous voulons plus que de l'écoute. Nous recherchons une appréciation pour ce que nous disons, nous sommes avides de hochements de tête, de phrases comme : «*Je suis d'accord avec toi*», «*Je comprends*», «*Puis-je faire quelque chose?*», «*J'accepte ton opinion, puis-je te donner la mienne?*» Ces petites interventions sympathiques s'ajoutent au sentiment d'écoute et expriment de la reconnaissance.

Puis vient finalement le stade de la **compétence**, où l'individu doit passer de la parole aux gestes, des idées aux réalisations. Être écouté, apprécié, reconnu ne suffisent plus, c'est l'heure de l'accomplissement. À cette étape, l'individu veut être maintenant le bâtisseur, l'innovateur. Il veut démontrer ses capacités de façon concrète, être en compétition avec son environnement, apprendre, s'améliorer, grandir, se réaliser.

À l'instant où j'écris ce livre, la recherche de pouvoir s'exprime dans le fait que j'apprends à approfondir mes idées, à les clarifier et à développer mon talent pour l'écriture. Pour vous qui me lisez, la recherche de pouvoir s'exprime dans votre désir d'améliorer vos connaissances, vos techniques d'entrevue, vos relations avec vos pairs ou avec vos enfants.

Le besoin de plaisir

C'est le besoin le plus intime. Bien implanté dans notre cerveau limbique, il peut être stimulé directement sans que nous adoptions de comportements particuliers. L'injection d'héroïne en est l'exemple parfait. Le besoin de plaisir fait référence au fait de rire, de faire des blagues, d'avoir le sens de l'humour, de pouvoir dédramatiser des situations difficiles, de recadrer les événements, et aussi d'éprouver de la satisfaction après un dur labeur. Le plaisir, c'est aussi jouer, et même apprendre. Il n'est pas rare, en effet, surtout chez les enfants, que l'apprentissage soit synonyme de jeu. Le plaisir, c'est aussi le petit frémissement que l'on éprouve au creux du ventre, le pétillement dans les yeux de l'autre, le soupir de satisfaction devant la toile terminée, le grand sourire.

Non, le plaisir n'est pas que le rire. Le plaisir est plus intime. Il peut parfois émerger de la douleur, car il est annonciateur de solution ou de bien-être à l'horizon. Le plaisir n'est pas synonyme de facilité, bien au contraire, mais il exclut la critique des autres ou la peur de la critique.

Je me suis souvent demandé pourquoi l'apprentissage pouvait devenir si lourd à l'école, si les enfants avaient la capacité d'apprendre et de jouer tout à la fois. Que faisons-nous en tant qu'adultes pour détruire ce goût d'apprendre chez l'enfant? À mon avis, le problème naît du fait que nous évaluons constamment les progrès de l'enfant à partir d'une grille arbitraire qui lui est complètement extérieure. Nous l'obligeons à se conformer à une norme, nous le contraignons à la fois dans les contenus à assimiler, dans la manière d'apprendre et dans la cadence à laquelle il doit le faire.

Regardez un enfant qui dessine. Il s'applique laborieusement, les sourcils froncés, le bout de la langue sur la lèvre inférieure. Peu de choses peuvent le déranger. Quand il s'interrompt, il regarde son chef-d'oeuvre, et un large sourire de satisfaction inonde son visage. Ça, c'est éprouver du plaisir à jouer, du plaisir à apprendre, du plaisir à l'état pur. Puis, l'enfant se remet à l'oeuvre et continue d'améliorer son oeuvre d'art.

Reprenez le même exemple, cette fois dans le contexte scolaire. Il y a fort à parier que l'enseignant va encadrer le dessin de l'enfant, et je ne parle pas ici d'y mettre un encadrement! Non, le fait de dessiner est devenu un travail et non un jeu. Par conséquent, la qualité du dessin sera évaluée à partir de critères établis par un ministère ou une commission scolaire et sera comparée à l'apprentissage fait par les autres élèves de la classe. L'enfant ne cherchera plus à améliorer la qualité de son dessin, mais bien à se mesurer avec le reste de la classe. Son énergie ne sera plus dirigée vers l'oeuvre à réaliser, mais sera plutôt orientée vers le respect d'une norme par rapport à laquelle il sera jugé égal, supérieur ou inférieur aux autres. Malheureusement, dans cet exercice, le plaisir aura aussi disparu.

Ne me dites surtout pas que j'exagère! Vous n'avez qu'à demander à vos adolescents s'ils aiment apprendre à l'école. Il y a fort à parier qu'ils vous répondront spontanément non, car trop souvent ils croient avoir perdu le plaisir d'apprendre. Ce qui, entre vous et moi, est faux. Ils continuent toujours d'apprendre. Ainsi, ils apprennent à utiliser rapidement et adéquatement leurs jeux électroniques ou d'autres techniques susceptibles de leur procurer du plaisir. Ou encore, ils s'amusent à déjouer les règlements de l'école! Ils n'ont pas perdu la capacité d'apprendre, mais ils veulent apprendre ce qui les intéresse, et non pas ce que parents, éducateurs ou autres autorités veulent leur imposer.

La compétition ne tue pas le plaisir, mais elle peut le faire si elle est imposée de l'extérieur. Le besoin de plaisir peut succomber sous les assauts des comportements choisis pour répondre au besoin de pouvoir.

Le besoin de liberté

Le besoin de liberté est le besoin le plus responsable de tous. Chaque expression de choix implique une conséquence, qu'elle soit positive ou négative. Et cette implication est le résultat direct de nos choix. La liberté n'est pas le libre choix sans contraintes ni obligations.

Ce besoin s'exprime par le désir de faire des choix, de se mouvoir, d'orienter sa vie, d'accéder à des choix. J'entends d'ici les questions qui surgissent : «*Qu'est-ce que la liberté?*» «*La liberté existe-t-elle vraiment?*» «*Peut-on être vraiment libre?*» «*La liberté n'est-elle pas une chimère après laquelle nous courons tous?*»

Parlons de Louise — nous connaissons tous une Louise —, cette femme intelligente et ambitieuse qui m'a confié, il y a quelques années, qu'elle ne pourrait jamais être libre : «*Pour moi, me disait-elle, être libre signifierait partir demain matin, sans tambour ni trompette, pour aller passer quelques jours à New York, sans contraintes et sans obligations. Mais c'est impossible. J'ai un mari, des enfants, une famille, un emploi. Je ne peux jamais vraiment décider librement de ce que je veux faire.*» Et de conclure : «*Alors, je ne suis **jamais libre**!*» Pauvre Louise, elle m'a littéralement inondée d'exemples similaires tirés de sa vie de tous les jours. Non, bien sûr, dans cette situation précise et envisagée de la sorte, Louise ne sera jamais vraiment libre.

En examinant avec moi sa définition de la liberté, Louise a pris conscience qu'elle était prisonnière de ses rêves et qu'à force de consacrer ses efforts à vouloir être libre d'une certaine façon elle s'interdisait l'accès à d'autres formes de liberté. En fait, pour Louise, l'expression de sa liberté est extérieure à elle. Elle provient d'une diminution ou d'une absence de contraintes ou d'obligations.

Les adolescents expriment cette même forme de liberté lorsqu'ils clament leurs fameux «si» : «*Si je n'étais pas obligé de faire telle ou telle chose*», «*Si mes parents étaient plus souples*», «*S'il n'y avait pas ce couvre-feu à 23 heures*», «*Si je n'étais pas obligé de partager ma chambre*» et ainsi de suite.

C'est la définition de la liberté que nous donnons lorsque nous pensons que notre liberté finit là où commence la liberté de l'autre. Nous situons alors la liberté en fonction de notre environnement extérieur, qu'il soit social, affectif ou familial.

Il m'arrive d'expliquer aux participants de sessions en TSD que j'ai, pour ma part, trouvé la liberté à l'intérieur de l'«institution» du mariage et chaque fois j'ai droit à quelques regards surpris, pour ne pas dire franchement incrédules! En réalité, ce que je veux vraiment dire, c'est que je suis plus libre maintenant que je ne l'étais avant d'être mariée. J'accepte de prendre des risques, de percevoir certaines situations sous un jour différent; j'essaie des tas de choses nouvelles; je me donne la permission de faire des erreurs; je m'offre le droit de choisir la solitude à certains moments. Je jouis d'une liberté intérieure, c'est-à-dire d'une liberté qui ne dépend que de moi.

Je raconte souvent l'histoire de ce survivant d'un camp de concentration qui affirmait avoir été plus libre, prisonnier, que ne l'étaient les soldats qui gardaient le camp. En effet, ceux-ci n'avaient d'autre choix que de penser aux prisonniers et de s'assurer que ceux-ci n'allaient pas s'évader. Le prisonnier, pour sa part, pouvait choisir de ne pas penser aux geôliers et laisser libre cours à son imaginaire. Le rêve de se dérober à la surveillance de ses gardiens et de se retrouver dans un magnifique jardin de roses était tout à fait concevable!

J'essaie autant que possible d'éviter des phrases du type : «*Je n'ai pas le choix...*», «*Il faut que...*» ou «*Je dois...*». J'ai appris, en effet, que dans la plupart des situations le choix existe véritablement. Ce choix peut être fait entre plusieurs options extérieures, ou encore entre plusieurs motivations intérieures qui, elles, entraînent certains types d'actions par voie de conséquence. Se dire constamment : «*Il faut que...*», c'est accepter de traîner un boulet. Ce genre de raisonnement, ce n'est pas mon choix.

La relation entre les besoins

Essayer d'expliquer ou de définir les besoins fondamentaux me semble souvent une entreprise difficile, et les résultats sont souvent peu convaincants. En fait, on peut proposer de nombreuses définitions pour énoncer l'essentiel de chacun des besoins. De plus, les expériences individuelles n'arrivent qu'à colorer la compréhension que chacun peut avoir des termes utilisés. Comme la TSD se présentant comme une approche non dogmatique qui fait appel au sens critique, n'hésitez pas à vous arrêter pour réfléchir, à prendre le temps de préciser pour vous-même ce que représente chacun de vos besoins. Dans la dynamique d'une session, vos énoncés ajoutés aux miens pourraient sûrement contribuer à apporter un meilleur éclairage sur ce sujet et à en faciliter la compréhension. Rien ne vous empêche d'en faire autant en échangeant avec une personne de votre entourage!

Je sais maintenant que chaque besoin est essentiel à notre survie et que, contrairement à ce que j'ai déjà cru, nous ne construisons pas certains besoins sur la réalisation d'autres besoins. J'irais même jusqu'à dire qu'il n'existe pas de hiérarchie dans les besoins. Aucun des besoins n'est plus important qu'un autre. Cependant, dans la vie de tous les jours, on peut facilement observer qu'à un moment donné, pour un individu, un besoin non satisfait deviendra alors le besoin prédominant.

Si le besoin de survie était le besoin le plus important chez les êtres humains, le suicide n'existerait pas. C'est parce qu'ils ne se sentent pas aimés tels qu'ils sont, ou encore parce qu'ils n'ont pas de place dans la société, que certains d'entre nous choisissent le suicide.

Un jour, je donnais cette explication au cours d'une conférence lorsqu'un homme s'est levé dans la salle et m'a dit : *«Je travaille dans une maison qui accueille des itinérants. À leur arrivée, ils n'ont parfois pas mangé ni dormi depuis plusieurs jours. Je vois difficilement comment ne pas penser que leur besoin de survie n'est pas alors le besoin le plus important à combler!»*

Je lui ai alors demandé de me décrire comment il accueillait ces personnes. L'homme s'est levé et s'est dirigé vers un autre participant. Il lui a mis la main sur l'épaule et d'une voix douce lui a dit : *«Tu es chez toi ici* (appartenance), *si tu as le goût de parler, il y a quelqu'un pour t'écouter* (écoute/pouvoir), *si tu préfères* (liberté) *manger ou dormir* (survie) *d'abord, c'est ton choix* (liberté), *tu n'es pas obligé.»* Vous comprendrez évidemment que les termes entre parenthèses sont de moi! Je les ai ajoutés simplement pour vous aider à repérer les besoins auxquels ce participant se référait sans nécessairement s'en rendre compte. Prenant conscience tout à coup de ce qu'il venait de décrire, il a alors souri en ajoutant : «*C'est vrai, certains préfèrent parler d'abord et manger ensuite!*»

Conclusion

Au cours de ce chapitre, j'ai brossé à grands traits les besoins sur lesquels se fonde le comportement humain. Vous avez peut-être été surpris de voir à quel point mes explications étaient appuyées d'exemples souvent tirés d'un quotidien très ordinaire. Cette approche pédagogique est intentionnelle car, comme je l'ai indiqué au point de départ, le présent livre se veut pratique, dirigé vers l'action de tous les jours. Le plus important à retenir, c'est que les différents besoins identifiés sont toujours présents en vous. Ils ne sont pas dans une relation hiérarchique, mais dans une sorte de relation circulaire. Ils sont perçus à des degrés d'intensité, d'importance ou même d'urgence divers, selon les instants et les événements. Par conséquent, ils s'exprimeront différemment selon les individus.

LA REPRÉSENTATION SPÉCIALE

Quelques concepts

Nous abordons dans ce chapitre le thème des représentations spéciales. S'il est vrai que tous les besoins sont présents chez tous les individus, la réalisation de ces mêmes besoins diffère d'un individu à l'autre et d'un moment de sa vie à un autre. C'est ce que nous appelons la **REPRÉSENTATION SPÉCIALE**. Les représentations spéciales sont les représentations individuelles de la satisfaction des besoins dont il a été question au chapitre précédent. Elles sont la définition personnelle que chacun d'entre nous donne aux besoins universels. Pour désigner l'ensemble de toutes nos représentations, j'utiliserai également l'expression **MONDE-QUALITÉ**.

Au cours du présent chapitre, conformément à l'approche pratique que je préconise, je commencerai également à présenter les «clés» de l'intervention en TSD. Ces clés se retrouvent maintenant au fil des chapitres du livre.

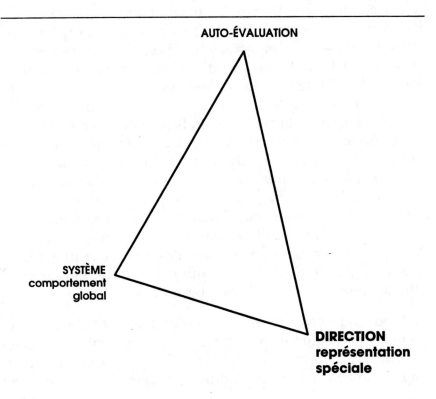

AUTO-ÉVALUATION

SYSTÈME
comportement
global

DIRECTION
représentation
spéciale

La réalisation des besoins

La représentation spéciale est d'abord et avant tout l'intention, de la part d'un individu, de satisfaire un besoin fondamental. Ce besoin peut se traduire chez chaque être humain selon deux modes, soit celui de l'imaginaire ou celui de l'expérimentation antérieure. Dans le premier mode, l'individu fera référence à un désir, à un souhait, à un rêve, à un fantasme, tandis que, dans le deuxième mode, il évoquera le souvenir d'un fait vécu, d'un épisode satisfaisant de sa propre vie.

Derrière chaque représentation spéciale énoncée par une personne, il existe un ou plusieurs besoins. Ainsi, si je vous dis que je veux écrire un livre, vous décoderez que ma représentation spéciale est d'écrire ce livre. Cependant, le besoin sous-jacent à cette représentation peut être pour vous différent de ce qu'il est pour moi.

Le fait de publier ce livre pourrait combler mon besoin d'appartenance. «*La publication de mon livre amènera plusieurs personnes à parler un langage semblable au mien et nous appartiendrons ainsi à un groupe spécial.*» Mon besoin sous-jacent pourrait être également le pouvoir. «*Mon ouvrage pourra avoir un effet sur le type d'intervention de spécialistes en relation d'aide.*» Le besoin pourrait être un besoin de liberté. «*Je prendrai le risque de partager une connaissance qui m'est chère et j'utiliserai le style qui me plaît.*» Il pourrait s'agir encore du plaisir. «*Plus j'écris, plus je découvre de nouveaux horizons, plus j'entrevois de nouvelles définitions, de nouvelles dimensions de cette approche.*» Finalement, je pourrais vouloir satisfaire mon besoin de survie. «*Et si jamais je faisais fortune avec mon livre!*» Enfin, et c'est probablement l'hypothèse la plus réaliste, il est possible que la conception de cet ouvrage constitue un amalgame de tous mes besoins.

Mais pourquoi rechercher la représentation spéciale de notre client, de notre enfant, de notre conjoint ou de notre collègue, me direz-vous? Parce que, selon la TSD, chaque être humain est mû, non par une force extérieure, mais bien par une force intérieure. L'individu n'a d'autre choix que de répondre à ses besoins. La réponse à ses besoins se traduit par «la» représentation spéciale, la représentation étant la reproduction imagée de la satisfaction idéale de ses besoins. L'être humain recherche continuellement la satisfaction de cette image dans sa vie quotidienne. Par conséquent, une intervention efficace repose sur la découverte de cette représentation spéciale.

La première clé de l'intervention en TSD : la recherche de la représentation spéciale ou de la direction de l'individu

Si tous les comportements humains s'orientent vers la satisfaction d'un ou de plusieurs besoins, le décodage de l'image qui représente ce ou ces besoins prend une importance majeure.

Il existe plusieurs façons de découvrir la représentation spéciale du client, ou même d'identifier sa propre représentation spéciale. Pour faciliter l'apprentissage, je présenterai les techniques d'identification de la représentation spéciale en deux grandes familles : les techniques structurées et les techniques non structurées. Les premières proposent des démarches précises de questionnement visant particulièrement la recherche de la représentation spéciale sur les plans personnel, familial et professionnel. Les secondes peuvent être utilisées avec succès lors d'une recherche d'informations ou tout simplement lors d'échanges dans le courant de la vie quotidienne. Je vous propose donc, dans les pages qui suivent, des moyens de découvrir la représentation spéciale à partir des besoins, des fantasmes, et même des non-représentations.

L'identification de la représentation spéciale à l'aide de techniques structurées

Les techniques structurées que je vous présente maintenant sont au nombre de trois, soit la satisphère, le remue-méninges et le plateau des besoins. Je définirai et j'illustrerai chacune de ces approches dans les pages qui suivent.

La satisphère

Genèse de l'outil

Dans son livre intitulé *In Pursuit of Happiness*[2], Mme Perry Good, auteure et membre du corps enseignant de l'Institute for Control Theory, Reality Therapy and Quality Management de Los Angeles, utilise un cercle divisé en quatre quadrants pour représenter la satisfaction des besoins psychologiques. À l'usage, je me suis rendu compte que cette représentation graphique n'était pas pleinement satisfaisante car le besoin de survie n'y est pas mentionné. Par conséquent, j'ai modifié cette représentation graphique initiale pour lui faire représenter l'ensemble des besoins. Comme je me servais d'un objet rond pour illustrer la satisfaction des besoins, j'en suis venue tout simplement à le baptiser **SATISPHÈRE**.

Utilisation de la satisphère

L'exercice qui vous est maintenant proposé a pour but de vous aider à découvrir votre propre représentation spéciale. Quand vous aurez bien maîtrisé l'outil, vous pourrez l'utiliser pour aider une autre personne à découvrir sa propre représentation spéciale. Avant de commencer, je vous suggère de vous faire quelques photocopies de la satisphère qui se trouve à la page suivante. Évidemment, si vous êtes un as des logiciels graphiques, vous pouvez la refaire en grand format et vous en servir avec des groupes.

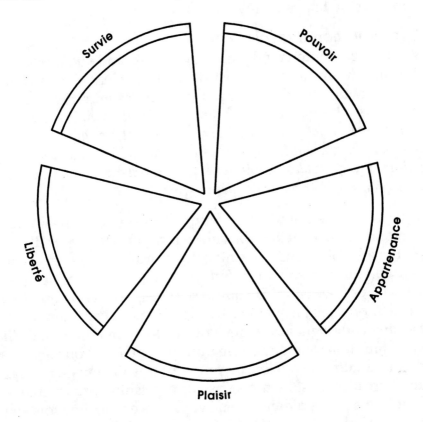

Vous avez noté que chacun des cinq secteurs (ou pointes) de la satisphère correspond à un besoin. Dans chacune des pointes, écrivez maintenant le nom de la personne ou de l'activité qui vous permet de satisfaire ce besoin. S'il y en a plusieurs, indiquez-les toutes. Vous marquerez l'information en partant du centre et en allant vers la bordure du cercle. Ce qui est le plus satisfaisant pour vous doit se trouver au centre et ce qui est le moins satisfaisant, près de la circonférence. Vous avez donc déjà compris que tout ce qui vous tient le plus à coeur se trouve au centre de la satisphère.

En second lieu, inscrivez maintenant, dans la bordure de chaque pointe (l'espace situé à l'extérieur de la pointe, ressemblant à la croûte d'une tarte), les noms des personnes ou des activités qui pourraient vous apporter le plus de satisfaction. C'est le temps de rêver...

Interprétation des résultats

Vous avez maintenant devant vous une grande quantité d'informations qui vont être utiles uniquement si elles sont correctement interprétées. Prenez quelques minutes pour vous poser les questions suivantes : *«Quelles pointes de ma satisphère sont les plus remplies?»*, *«Comment, par qui ou par quoi sont-elles occupées?»*, *«Y a-t-il des pointes bien pleines et des pointes presque vides?»*, *«Et la bordure, est-elle plus mince ou plus épaisse que chacune des pointes?»*

Vous allez sans doute constater que très souvent une même personne ou une même activité se retrouve dans plus d'une pointe à la fois, mais à des niveaux d'ordre différents. C'est heureux qu'il en soit ainsi! Imaginez, à titre d'exemple, que vous ne pouvez satisfaire qu'un seul besoin quand vous êtes en relation avec Jacqueline. Très rapidement, vos autres besoins vous signaleront que vous êtes «en manque» et qu'il vous faut faire quelque chose pour y remédier. Vous abandonnerez alors Jacqueline au profit du travail. Vous satisferez ainsi un autre besoin, mais vos autres besoins vous signaleront tout aussi rapidement que vous êtes encore une fois «en manque» et qu'il vous faut faire à nouveau quelque chose pour y remédier. Vous abandonnerez donc votre travail au profit de... Ouf! vous êtes complètement épuisé, et il y a de quoi l'être!

C'est pourquoi Jacqueline peut se retrouver présente dans plus d'une pointe. Cela vous permet ainsi de satisfaire au moins deux besoins à la fois, diminuant du coup votre course folle pour satisfaire vos besoins. Vous remarquerez que je n'ai pas dit à quel besoin Jacqueline répondait!

Par l'interprétation de cette satisphère, nous apprenons ce que nous voulons vraiment, ou encore ce que représente pour nous, à l'heure actuelle, la meilleure façon de satisfaire nos besoins. Ainsi, vous vous apercevrez que certaines personnes satisfont parfois leur besoin d'appartenance au détriment de leur besoin de liberté. À titre d'exemple, l'adolescent peut abandonner un peu de son identité personnelle pour être aimé ou accepté par ses pairs. Il accepte de s'habiller, de se coiffer, de parler et de se comporter comme son groupe l'exige, même si, à l'occasion, il n'est pas d'accord avec celui-ci ou trouve que cela empiète sur son autonomie personnelle. Si certaines personnes satisfont leur besoin d'appartenance au détriment de leur besoin de liberté, d'autres satisfont leur besoin de pouvoir au détriment de leur besoin de plaisir. Ainsi, la satisfaction d'un besoin peut potentiellement influer sur la satisfaction d'un autre besoin.

Il m'arrive de comparer la satisphère à la chambre à air d'un pneu. L'intérieur de la satisphère est rempli de nos acquis comme le pneumatique est rempli d'air. Si, pour une raison quelconque, un de nos besoins est moins bien satisfait, la pression extérieure provoquera un déséquilibre à l'intérieur. Toutes nos énergies s'orienteront alors à combler ce besoin non satisfait afin de restaurer l'équilibre.

À la suite du décès d'un être cher, après une période plus au moins longue, certaines personnes manifestent une sérénité presque contagieuse, alors que d'autres sombrent dans la souffrance. Pourquoi les personnes en deuil se comportent-elles de façon si différente les unes des autres? Probablement parce que les premières, malgré la douleur occasionnée par la perte de l'être cher, ont pu puiser à l'intérieur de leur satisphère des solutions pour remplacer cette perte. Les secondes, dont la satisphère présentait déjà des déficits avant l'événement douloureux, n'ont pu y trouver de solutions de remplacement.

Les besoins déjà satisfaits chez l'individu se retrouvent inscrits dans les pointes de la satisphère. Ces acquis nous permettent d'attendre patiemment ce que la vie nous réserve. Sans cette certitude, notre capacité de patienter diminue. C'est ce que certains auteurs décrivent, chez le délinquant, comme le principe du plaisir, qui correspond à l'incapacité de faire quelque chose maintenant en vue d'une gratification ultérieure. Nous disons aux jeunes de travailler ou d'étudier aujourd'hui pour réussir demain. Le jeune qui a du succès dans sa vie de façon régulière est prêt à investir maintenant pour réussir plus tard. Quant à celui qui vit des échecs répétés, il a de la difficulté à croire à un succès éventuel.

Prenons un exemple bien simple pour illustrer cette affirmation. Imaginons que vous avez faim et que, ayant peu d'argent, vous manquez de nourriture (pointes de la satisphère peu remplies). Si je vous dis : «*Aujourd'hui, c'est jour de jeûne pour tous*», vous vous sentirez bien incapable de supporter la disette. Vous souhaiterez manger maintenant, pas demain, et encore moins après-demain. Cependant, si vous avez mangé régulièrement (pointes de la satisphère assez remplies), vous serez fort probablement déçu de ne pas manger aujourd'hui, mais vous serez confiant que vous pourrez patienter ou survivre jusqu'au lendemain. Par conséquent, si la bordure de votre satisphère est plus remplie que la pointe elle-même, la capacité de patienter pour l'obtention de votre représentation spéciale s'en trouve diminuée.

Vous noterez sans doute que les pointes de la satisphère sont égales. En fait, elles le sont uniquement pour des raisons esthétiques. Les besoins sont-ils tous égaux? Je n'en sais rien. Ce dont je suis sûre, cependant, c'est qu'un besoin non satisfait prend de l'importance et que je pourrais être prête à sublimer un besoin particulier au profit de la satisfaction d'un autre besoin. Je sais également qu'à certaines périodes de ma vie j'ai réussi à satisfaire certains besoins mieux que d'autres.

Au-delà du besoin, ce qui m'intéresse par-dessus tout, c'est la définition que chacun d'entre nous donne au besoin. En me basant sur mon expérience, je peux affirmer que plus l'image projetée est précise, définie avec force détails, plus la satisfaction du besoin semble difficile à atteindre. Au contraire, l'image d'un besoin qui est large et ouverte fournit de meilleures chances de satisfaction.

Le remue-méninges (*brainstorming*)

Le remue-méninges est maintenant une technique connue. Il s'agit d'émettre, dans un temps donné, le plus grand nombre d'idées possible reliées à un sujet donné, sans censure. Cette technique peut se pratiquer seul, mais elle est beaucoup plus productive quand elle s'effectue en groupe. Dans ce dernier cas, l'animateur du groupe doit veiller à ce que les idées émises ne soient ni critiquées ni rejetées. Le classement, l'explication et le rejet des idées, le cas échéant, se tiendront à une étape ultérieure.

L'identification de votre représentation spéciale

Dans un premier temps, je vous propose d'effectuer un exercice de remue-méninges. L'exercice aura pour but de décoder votre propre univers. Pour ce faire, je vous suggère de vous faire quelques photocopies des deux listes suivantes :

Remue-méninges : Liste n° 1

Exprimez d'abord dans vos propres mots comment, dans un contexte précis, vous aimeriez *idéalement* satisfaire chacun des besoins fondamentaux.

Survie : _____

_____

_____

_____

_____

_____

_____

_____

_____

_____

Appartenance : _____

_____

_____

_____

_____

_____

_____

_____

Pouvoir : _____

_____

_____

_____

_____

_____

_____

_____

Plaisir : _____

_____

_____

_____

_____

_____

_____

_____

_____

Liberté : _____

_____

_____

_____

_____

_____

_____

_____

_____

Remue-méninges : Liste n° 2

Indiquez maintenant ce qui est *acquis* pour chaque besoin et ce qui vous semble le plus important à acquérir dans un avenir rapproché.

Survie :

Acquis : _____

_____

_____

_____

À acquérir : _____

_____

_____

_____

Appartenance :

Acquis : _____

_____

_____

_____

À acquérir : _____

_____

_____

_____

_____

Pouvoir :
Acquis : _____

_____

_____

_____

À acquérir : _____

_____

_____

_____

Plaisir :
Acquis : _____

_____

_____

_____

À acquérir : _____

_____

_____

_____

_____

Liberté :

Acquis : _____

_____

_____

_____

À acquérir : _____

_____

_____

_____

En vous servant d'abord de la Liste n° 1, décrivez comment, dans un contexte précis, par exemple celui du travail, vous aimeriez idéalement satisfaire chacun des besoins.

Voici un exemple de la Liste n° 1 :

> *Survie* Travailler dans un endroit propre et bien aéré; avoir facilement accès aux aires communes; connaître la localisation des sorties de secours...

> *Appartenance* Travailler en équipe; être capable de partager; me sentir accepté tel que je suis; avoir le goût d'être avec mes collègues à la pause-santé; avoir un coin bien à moi; apporter ma tasse personnelle au bureau; risquer de parler de moi en tant qu'individu...

> *Pouvoir* Être écouté par mes supérieurs et mes collègues de travail; avoir la possibilité d'innover; pouvoir organiser une partie de mon travail; décorer mon bureau; avoir la possibilité de dire ce que je pense de telle ou telle situation; avoir droit à l'erreur...

Plaisir Faire des blagues avec mes confrères; aimer apprendre d'un collègue ou d'une autre personne; rire avec la clientèle; vivre dans un environnement agréable avec musique de fond; prendre le temps de me dégourdir les jambes entre les rencontres; avoir une équipe de squash au travail...

Liberté Pouvoir organiser mon travail; avoir le choix de l'horaire; me donner la permission d'apprendre ou d'essayer quelque chose de nouveau; entendre un autre point de vue d'une situation; travailler sur des documents à la maison à l'occasion...

Ensuite, en vous servant de la Liste n° 2 et en vous référant à votre Liste n° 1, précisez ce qui est acquis pour chaque besoin et ce qui vous semble le plus important à acquérir dans un avenir rapproché. À titre d'illustration, je mentionne ce qui, pour une personne donnée, pourrait correspondre au besoin d'appartenance. Évidemment, l'exercice doit être fait de manière exhaustive, pour chaque besoin.

Appartenance :

Acquis J'ai quelques amis au travail, je sens que je peux m'exprimer et que je suis assez bien accepté par la majorité d'entre eux.

À acquérir Cependant, je me rends compte que je vais rarement aux pauses-santé et que c'est à ces moments-là que se prennent beaucoup de décisions relatives aux orientations du travail d'équipe. Et le travail d'équipe est ce qui me manque maintenant.

Vous noterez que, pour certains besoins, la liste des acquis est plus imposante que la liste des choses à acquérir et que l'inverse est également possible. Cet exercice vous permettra de tracer un portrait assez précis de votre représentation spéciale ou de votre monde-qualité en relation avec votre travail. Ce qui est acquis est ce qui vous satisfait présentement à votre travail. Ce qui est à acquérir représente ce qui nécessite des efforts constants dans votre quotidien.

L'avantage d'un tel exercice est qu'il permet de prendre un certain recul, un temps de réflexion pour examiner ce qui nous tient vraiment à coeur. Il est utile puisqu'il nous offre l'occasion de visualiser nos valeurs actuelles. Si vous répétez cet exercice dans un an, il y a de fortes possibilités pour que les résultats soient différents, puisque nous évoluons constamment et découvrons de nouvelles façons de satisfaire nos besoins.

L'identification de la représentation spéciale, du monde-qualité d'une autre personne

Maintenant que vous avez bien compris comment procéder pour vous-même, vous pouvez utiliser la méthode avec une autre personne. Pour les besoins de la cause, nous supposerons que cette autre personne est un de vos clients en relation d'aide. Pour travailler, je vous suggère de remettre à votre client un exemplaire vierge de chacune des deux listes utilisées précédemment.

Dans un premier temps, en vous servant de la première liste, expliquez-lui brièvement les besoins fondamentaux, selon la TSD. L'explication pourrait ressembler à ce qui suit : «*Il existe cinq besoins différents que nous souhaitons tous satisfaire d'une façon ou d'une autre. Premièrement, le besoin physiologique ou de survie par lequel nous voulons nous sentir en sécurité, pouvoir dormir, avoir à boire et à manger. Deuxièmement, le besoin d'appartenance, qui signifie aimer et se sentir aimé. Troisièmement, le besoin de pouvoir par lequel nous voulons nous sentir importants et utiles. Quatrièmement, le besoin de plaisir, qui désigne l'envie de rire, de s'amuser, d'apprendre et d'être satisfait de soi. Le cinquième besoin est le besoin de liberté, qui permet d'exercer des choix dans sa vie.*»

Dans un deuxième temps, demandez à votre client d'identifier, en regard des besoins apparaissant sur la Liste n° 1, des énoncés de ce qui devrait idéalement satisfaire ses besoins dans sa vie. Au besoin, n'hésitez pas à lui donner des exemples. N'ayez pas peur d'être concret ou farfelu, car le monde-qualité n'est pas toujours logique ni facilement accessible! Précisez bien, toutefois, qu'il n'est pas obligé de souscrire à chacune des idées qu'il écrit. À cette étape, il doit exprimer ce qui lui passe par la tête, sans censure. L'évaluation viendra plus tard.

Finalement, à l'aide de la Liste n° 2, demandez-lui de répertorier ce qui est déjà satisfaisant dans sa vie, puis de noter ce qu'il aimerait acquérir dans un avenir prochain.

Vous observerez probablement de l'étonnement de la part de votre client. D'abord, il est toujours plus facile d'isoler ce que l'on n'aime pas plutôt que ce qui est satisfaisant pour nous. Comme cet exercice demande un certain effort, soyez attentif aux propos de votre interlocuteur. Il se peut fort bien que dans sa liste votre client glisse quelques éléments négatifs tels que : «*Je ne me sentirais plus seul...*» ou «*Je ne serais pas ridiculisé...*» N'hésitez pas à lui demander : «*Comment te sentirais-tu...?*», ou encore «*Comment serais-tu traité...?*»

Une fois que votre client a rempli ses deux listes, vous pouvez échanger avec lui sur leur contenu et rechercher ensemble les pistes d'interprétation qui lui permettront d'agir. L'intérêt de cette approche individuelle tient dans ce que votre client pourra ensuite, comme vous l'avez déjà fait vous-même, répéter l'exercice dans d'autres situations.

L'identification de la représentation spéciale, du monde-qualité d'un groupe

La technique que nous avons pratiquée de manière personnelle ou avec un client peut également être utile avec un groupe. Pour intervenir auprès d'un groupe, je vous propose de reproduire les deux listes mentionnées plus haut sur un tableau ou sur des feuilles de bloc-notes géant. Prévoyez assez d'espace pour écrire, car certains groupes sont très imaginatifs!

Tout d'abord, je vous suggère de bien cadrer avec le groupe le but de l'exercice, de même que votre rôle dans l'intervention qui va se dérouler. Ensuite, clarifiez avec le groupe les règles de fonctionnement du remue-méninges. Certains groupes sont très familiers avec cette technique. Même si c'est le cas, rappelez simplement que les idées doivent être énoncées sans commentaires et sans censure, et que l'évaluation viendra plus tard. Précisez les consignes (qui anime, qui écrit, combien de temps sera accordé, quelles sont les étapes qui seront suivies, comment et à quoi serviront les résultats de l'exercice). Même si le groupe n'est pas très familier avec l'approche, soyez bref dans vos explications, quitte à intervenir en cours de route pour rajuster le tir, encourager les timides et laisser de la place à tous.

Maintenant, comme dans l'exercice avec un client, expliquez brièvement les besoins fondamentaux. Ne craignez pas d'adapter vos explications et vos exemples au groupe qui est avec vous. Une équipe de travailleurs sociaux n'aura pas les mêmes préoccupations qu'une équipe de hockey. Cette fois, il faut rappeler que le groupe doit chercher comment, en tant que groupe, il doit répondre aux besoins de tous les individus qui le composent.

Pour les besoins de l'exposé, je vais supposer que le groupe qui fait l'exercice est une famille. Comme dans les exemples précédents, nous remplissons d'abord la Liste n° 1, après avoir posé la question qui oriente l'exercice.

> *Survie* La maison est convenablement chauffée l'hiver; il y a toujours de quoi se nourrir; nous possédons le nombre requis d'avertisseurs de fumée; la maison compte au moins deux salles de bains pour la famille...

> *Appartenance* Chacun a sa place au sein de la famille; nous avons droit à la différence tout en étant acceptés; chacun a son coin intime; on sent qu'il y a de l'amour dans la maison...

> *Pouvoir* Tous les membres de la famille ont droit à l'écoute; on encourage la participation individuelle dans les prises de décision; nous pouvons décorer notre chambre ou notre coin personnel...

Plaisir On entend à rire; il y a des moments de détente en groupe, des activités familiales; les plus petits peuvent partager leurs apprentissages avec les plus grands...

Liberté Nous choisissons de faire des choses seul ou avec d'autres membres de la famille; nous nous donnons la permission de ne pas toujours être à la hauteur des exigences de la famille; nous faisons état de nos préférences quant à notre alimentation...

Quand l'énumération est terminée, les participants mentionnent ce qui est déjà satisfaisant au sein de la famille pour chaque besoin. Ensuite, ils déterminent d'un commun accord un ou deux éléments pour lesquels ils souhaiteraient voir une amélioration dans un avenir prochain et ce, pour chacun des besoins. Il est essentiel, pour ce qui est de cet exercice, que chaque membre du groupe soit d'accord dans le choix des éléments à améliorer.

L'avantage de cet exercice est de permettre de travailler à façonner une représentation spéciale collective, ce qui donne une direction globale au groupe. L'exercice effectué plus haut en prenant pour exemple une famille peut être pratiqué dans une équipe de travail, une équipe-école ou un groupe d'entraide. D'après mon expérience, c'est souvent la première fois que les membres du groupe discutent ensemble des valeurs importantes qu'ils aiment ou aimeraient vivre dans leur groupe; ils sont plus souvent appelés à discuter de ce qui les irrite. De fait, les groupes se réunissent souvent, pour ne pas dire toujours, pour discuter de ce qui ne va pas, pour «régler» des problèmes. Ils ont rarement la possibilité d'envisager une orientation commune et satisfaisante pour tous. Cet exercice peut le leur permettre. Il offre une qualité de discussions et d'échanges d'un niveau supérieur dans le respect mutuel des participants.

Le plateau des besoins

Le plateau des besoins[3] est la dernière technique structurée que je vous propose. Elle est particulièrement utile dans la situation où le vouloir n'est pas bien défini. Dans un tel cas, il y a intérêt à clarifier les besoins. Ce serait, par exemple, le cas d'un client qui ne sait pas ce qu'il veut, ou avec lequel il est préférable d'adopter une approche verbale, sans avoir recours à des listes ou à des graphiques.

Au premier abord, définissez les cinq besoins en prenant soin d'expliquer à votre client que tous ces besoins sont essentiels à chacun d'entre nous. «*Imaginez que j'ai devant moi un plateau contenant des besoins. Je vais vous les énumérer et les décrire rapidement comme s'il s'agissait de canapés ou de hors-d'oeuvre. Ainsi, le besoin d'appartenance est le besoin de créer des liens privilégiés avec au moins une autre personne; le besoin de pouvoir est le besoin de se sentir utile, d'avoir de l'importance; le besoin de plaisir est le besoin de rire, d'avoir du "fun", de faire quelque chose que l'on n'est pas obligé de faire; le besoin de liberté est le besoin de se donner la permission de faire quelque chose, ou encore de se libérer de contraintes; le besoin de survie est le besoin de savoir que l'on a tout ce qu'il nous faut pour survivre, y compris un milieu rassurant.*»

Demandez à votre client de choisir très rapidement un besoin qui lui semble plus significatif ou important dans sa vie, comme s'il choisissait un canapé appétissant. Évitez l'utilisation de termes négatifs comme : «*Choisis un besoin qui n'est pas satisfait chez toi.*» Cela demanderait une trop longue réflexion de la part du client et risquerait d'augmenter l'autocensure.

Après que le client a choisi un besoin, demandez-lui de vous expliquer ce que ce besoin signifie pour lui. Cette explication est importante, car les gens n'accordent pas tous la même signification aux termes. Un client peut parler de liberté alors qu'il recherche le pouvoir. «*Si j'avais une motocyclette, je me sentirais plus libre.*» «*Peux-tu me décrire comment tu serais avec ta motocyclette?*» Et le client de placer ses mains sur des guidons imaginaires et de produire un son imitant le puissant moteur d'une Harley-Davidson, faisant alors, vraisemblablement, état de pouvoir plutôt que de liberté. Ainsi, vous pourrez mieux identifier le véritable besoin exprimé par le client.

Dans une dernière étape, vous pouvez aider votre client à préciser son besoin concrètement et à en transposer l'application dans sa vie de tous les jours.

L'identification de la représentation spéciale à l'aide de techniques non structurées

Au cours des pages qui précèdent, nous avons travaillé ensemble à la découverte de la représentation spéciale à l'aide de trois techniques structurées qui avaient en commun l'utilisation des besoins comme point de départ. Ce type d'approche ne peut s'appliquer quand on intervient auprès d'un enfant ou quand l'interaction se situe dans un contexte détendu, comme lors d'une conversation avec un autre adulte. Par conséquent, je vais maintenant vous présenter un ensemble de techniques que je qualifie de «non structurées». Cette appellation ne doit pas vous laisser croire que la démarche est laissée au hasard. Au contraire, elle suppose que vous avez bien intégré les concepts exposés précédemment, puisque vous ne pouvez vous aider d'outils ou d'aide-mémoire. Elle requiert également beaucoup de vigilance de votre part, car vous devrez constamment clarifier les énoncés qui vous sont faits, dans l'ordre selon lequel ils vous sont présentés. Je vous invite maintenant à rechercher la représentation spéciale, la vôtre ou celle d'une autre personne, de manière moins structurée, à partir de fantasmes, d'une non-représentation, ou tout simplement d'une simple conversation. Comme vous le verrez, ces approches peuvent également être très efficaces.

L'identification de la représentation spéciale à partir de fantasmes[4]

La recherche de la représentation spéciale du monde-qualité à partir de fantasmes ressemble au remue-méninges. Dans un premier temps, faites une liste de tout ce que vous voulez, soit dans votre vie en général ou dans un contexte particulier, en commençant chaque phrase par : «Je veux...» Assurez-vous d'avoir mentionné au moins quinze images, désirs ou fantasmes dans votre liste. Il est important de persévérer, même si après avoir écrit trois ou quatre idées vous vous déclarez satisfait. Assurez-vous de terminer d'abord la liste de ce que vous voulez avant de commencer à l'analyser. Pour vous aider, utilisez la grille intitulée «Découvrir la représentation spéciale à partir de fantasmes» offerte à la page 54, et remplissez uniquement la colonne intitulée «Je veux».

Exemple : Je veux...

- plus d'argent

- de la santé

- un autre enfant

- un travail intéressant

- déménager en banlieue

- poursuivre ma vie de couple

- une aide ménagère

- voyager plus souvent

- être heureuse

- la liberté

- un grand jardin

- mes jeudis soir

- améliorer mes relations avec...

Découvrir la représentation spéciale
à partir de fantasmes

Je veux	Avoir	Faire	Être

- des enfants heureux

- un nouvel ordinateur

- finir d'écrire ce livre…

Puis indiquez si ce que vous voulez (ce qui apparaît à gauche de votre liste) est quelque chose que vous voulez **avoir**, **faire** ou **être**. Placez un X dans la bonne colonne. Cette grille n'est pas un outil de travail à utiliser régulièrement, mais elle vous aidera dans votre réflexion et votre apprentissage actuel. En voici un exemple :

Découvrir la représentation spéciale à partir de fantasmes

Je veux	Avoir	Faire	Être
plus d'argent	X		
de la santé			X
un autre enfant	X		
déménager en banlieue		X	
poursuivre ma vie de couple		X	

Il peut être difficile de répondre à ces questions. Essayez de vous fabriquer une image visuelle de ce que vous voulez et examinez ensuite cette image. Lorsque vous la regardez, que voyez-vous? Possédez-vous cette chose que vous avez inscrite sur votre liste (avoir)? Êtes-vous actif par rapport à cette chose (faire)? Ou vous voyez-vous en relation affective avec cette chose (être)?

Puisque vous avez maintenant cerné si ce que vous vouliez se trouve dans la catégorie des «avoir», des «faire» ou des «être», il vous reste à situer votre vouloir par rapport aux deux autres catégories. Pour ce faire, posez-vous deux des trois questions suivantes à partir de la catégorie déjà indiquée. Je vous donne un exemple. Si votre désir ou fantasme est dans la catégorie «avoir», demandez-vous : «*Si j'avais ce que je veux, qu'est-ce que cela me permettrait de faire?*» Écrivez votre réponse dans la colonne «faire», vis-à-vis de votre désir ou fantasme avoir. Si votre désir ou fantasme est dans la catégorie «faire», posez-vous plutôt la question suivante : «*Si je faisais ce que je veux, qu'est-ce que cela me permettrait d'être ou de ressentir?*» Marquez votre réponse dans la colonne «être», vis-à-vis de votre désir ou fantasme faire. Enfin, si votre désir ou fantasme est dans la catégorie «être», demandez-vous alors : «*Si j'étais ce que je veux, qu'est-ce que cela me permettrait d'avoir?*» Notez enfin votre réponse dans la colonne «avoir», vis-à-vis de votre vouloir être.

Une fois ce premier questionnement achevé, recommencez l'exercice pour terminer les trois catégories de chaque désir, à partir des questions ci-dessus. Notez cependant que dans cet exercice le choix des mots est très important. Ayez soin d'éviter les phrases qui contiennent une forme quelconque d'obligation, comme : «*Qu'est-ce que tu <u>dois</u> faire pour avoir ce que tu veux?*» Si vous utilisez cet exercice avec une autre personne, ne donnez aucune réponse à sa place. Attendez qu'elle clarifie elle-même ses choix. Il m'est arrivé au cours d'un entretien avec un client de présumer qu'il voulait avoir un enfant alors que son désir était de «faire un enfant». Sa conjointe ayant un enfant, il en avait donc déjà un, compte tenu de sa relation, mais il voulait être le géniteur du prochain. Poursuivons maintenant notre exemple de questionnement.

Si j'avais de l'argent (colonne avoir), qu'est-ce que cela me permettrait de faire (colonne faire)?
Réponse : Choisir ce que je fais.

Si je choisissais ce que je fais (colonne faire), qu'est-ce que cela me permettrait d'être (colonne être)?
Réponse : **En confiance**.

Si j'étais **en santé** (colonne être), qu'est-ce que cela me permettrait de faire (colonne faire)?
Réponse : Vivre intensément.

Si je vivais intensément (colonne faire), qu'est-ce que cela me permettrait d'avoir (colonne avoir)?
Réponse : Une vie bien remplie.

Si j'avais un autre enfant (colonne avoir), qu'est-ce que cela me permettrait de faire (colonne faire)?
Réponse : Une famille.

Si je faisais (colonne faire) une famille, qu'est-ce que cela me permettrait d'être (colonne être)?
Réponse : **Éternelle**.

Si je déménageais (colonne faire) en banlieue, qu'est-ce que cela me permettrait d'avoir (colonne avoir)?
Réponse : Un grand terrain.

Si j'avais un grand terrain en banlieue (colonne avoir), qu'est-ce que cela me permettrait d'être (colonne être)?
Réponse : **Plus libre**.

Et ainsi de suite. Enfin, et surtout, prenez le temps de bien relire vos «être» en commençant vos phrases par : «Je veux...» Exemples : «Je veux être en confiance», «Je veux être en santé», «Je veux être éternelle», «Je veux être plus libre.»

Découvrir la représentation spéciale
à partir de fantasmes

Je veux	Avoir	Faire	Être
plus d'argent	X	*choisir ce que je fais*	*en confiance*
de la santé	*une vie bien remplie*	*vivre intensément*	X
un autre enfant	X	*une famille*	*éternelle*
déménager en banlieue	*grand terrain*	X	*plus libre*
poursuivre ma vie de couple		X	

Ces «être» sont vos véritables représentations spéciales, «avoir» ou «faire» n'étant qu'un moyen de vous permettre d'atteindre votre véritable être, celui que vous chérissez le plus. Ainsi, il m'est plus facile de me détacher de ce que je voulais avoir ou voulais faire pour rechercher de nouveaux moyens d'être ce que je veux. Avoir de l'argent ou non, par exemple, ne peut plus être un prétexte pour augmenter ma confiance personnelle. Déménager ou non en banlieue ne m'empêchera plus de rechercher ce sentiment de liberté.

Trop souvent, hélas, nous sommes aveuglés par de fausses représentations qui, si elles nous tiennent à cœur, nous empêchent d'envisager notre véritable devenir. Faire l'exercice de rechercher ce que nous voulons être vraiment est exigeant. Cela demande du temps, de l'énergie, de la réflexion, et surtout de la transparence. Cette démarche peut donc provoquer un certain malaise. Cependant, ce dur labeur est enrichissant, puisqu'il nous permet de voir et d'identifier vraiment l'importance de nos choix et la direction de nos pas. L'intervenant panique à l'occasion devant l'inaccessibilité de certaines représentations spéciales de ses clients. Qu'à cela ne tienne! Il est peut-être vrai que je ne peux pas aider cette personne à obtenir ce qu'elle veut avoir, mais je peux la guider vers ce qu'elle veut être. Je ne peux pas aider mon client à avoir la relation souhaitée avec son conjoint, mais je peux le guider à être, à devenir la personne qu'il désire être dans cette relation. Ce qui est vrai pour notre client l'est également pour nous!

L'identification de la représentation spéciale à partir d'une non-représentation

Imaginez maintenant une conversation avec un client, un collègue ou un membre de votre famille, qui pourrait ressembler à celle-ci :

Client : «J'en ai assez, ça ne peut plus continuer comme ça!»

Vous : «Qu'est-ce qui ne va pas?»

Client : «C'est Claire. Elle me surveille sans cesse, elle veut connaître mes allées et venues, savoir avec qui je suis, ce que j'ai fait, pourquoi je l'ai fait...»

Vous : «Je comprends que cela doit être difficile à vivre.»

Client : «Mets-en! On dirait qu'elle me cherche, elle est toujours sur mon dos, toujours en train de chercher des bibites...»

Vous : «Peut-être que tu devrais lui dire que ça t'embête...»

Client : «Qu'est-ce que tu penses? Ça ne marchera pas. D'ailleurs, j'ai déjà tout essayé. Puis, ce n'est pas à moi de faire ces démarches-là!»

La conversation peut rapidement se mettre à tourner en rond à force de vouloir aider le client à trouver une solution. Le problème vient que nous ignorons ce qu'il veut. Les seules informations que nous possédons sont les événements, les comportements, les situations qu'il n'aime pas, en d'autres mots seulement des non-représentations! La non-représentation représente la direction qu'il ne veut pas prendre. Si je vous disais que je ne veux pas aller à Québec, sauriez-vous où je veux aller? Non, bien sûr. La situation est identique à celle qui est relatée plus haut.

Maintenant, essayez le questionnement suivant pour vous débarrasser de la non-représentation spéciale. Cette non-représentation est utile pour nous permettre de connaître l'agacement ou la frustration, mais elle ne nous renseigne pas sur la direction souhaitée.

Client : «J'en ai assez, ça ne peut plus continuer comme ça!»

Vous : «Qu'est-ce qui ne va pas?»

Client : «C'est Claire. Elle me surveille sans cesse, elle veut connaître mes allées et venues, savoir avec qui je suis, ce que j'ai fait, pourquoi je l'ai fait...»

Vous : «Je comprends que cela doit être difficile à vivre, mais, dis-moi, comment aimerais-tu qu'elle se comporte avec toi?»

Client : «Ben, j'ai toujours l'impression qu'elle me surveille, qu'elle ne me fait pas confiance.»

Vous : «Comment aimerais-tu qu'elle soit avec toi?»

Client : «Je viens de te le dire, qu'elle me fasse confiance!»

Vous : «Tu m'as dit que tu avais l'impression qu'elle ne te faisait pas confiance, mais je n'étais pas certain que tu voulais qu'elle te fasse confiance. Si elle te faisait confiance, comment serait-elle?»

Client : «Ben, par exemple, quand elle me remet un dossier, qu'elle ne passe pas son temps à me poser des questions dans les jours qui suivent.»

Vous : «Tu me dis encore une fois ce que tu ne veux pas qu'elle fasse, comment voudrais-tu que cela se passe?»

Client : «Après la remise du dossier, qu'elle fixe une date pour qu'on s'en reparle.»

Vous : «Si cela se passait ainsi, qu'est-ce que cela te donnerait de plus?»

Client : «De la liberté dans mon organisation quotidienne!»

Vous : «<u>Donne-moi un exemple.</u>»

Client : «J'organiserais mon emploi du temps au lieu d'essayer d'éviter de la croiser dans le corridor, ou encore de fuir quand je la vois venir de loin. Je pourrais choisir ce que je vais faire et quand et comment je vais le faire...»

Vous avez compris que le texte souligné indique les efforts de l'intervenant pour quitter le mode de non-représentation du client en direction de sa représentation spéciale. Et voilà, nous avons enfin une direction de travail. Sa représentation spéciale est de gérer son emploi du temps. Cette représentation peut donc toucher à la fois le besoin de pouvoir, car le client peut avoir de l'influence sur son environnement, sur lui et sur les autres, et le besoin de liberté, car il peut choisir comment il le fera.

N'hésitez pas à répéter votre questionnement de non-représentation à la représentation spéciale. En règle générale, il est plus facile d'identifier ce que nous ne voulons pas que ce que nous voulons! Au risque de me répéter, je suis d'avis que nous pouvons facilement identifier ce qui nous irrite, mais plus difficilement ce qui nous convient bien. J'ajoute souvent en exemple que nous avons rarement conscience de notre pouce. À la question : «*Comment aimeriez-vous que votre pouce soit?*», vous trouverez difficilement une réponse si votre pouce fonctionne parfaitement. Cependant, si vous avez une blessure au pouce, il y a fort à parier que vous aurez conscience de celui-ci. La non-représentation spéciale est l'irritant, l'égratignure sur votre pouce. Un pouce en santé, qui peut le décrire? Ne dit-on pas que les gens heureux n'ont pas d'histoire! Bien sûr, vous aurez compris que cette métaphore est une boutade, un clin d'oeil, mais prenons-nous réellement le temps de réfléchir à ce que nous voulons vraiment quand tout va bien? Et comment saurons-nous ce que nous voulons si nous y réfléchissons seulement quand nous avons mal?

L'identification de la représentation spéciale dans le cadre d'une simple conversation

Voici une liste de questions élaborées avec des participants de différents niveaux d'apprentissage en TSD. Cette liste n'est pas exhaustive, et il vous appartient de la compléter, de l'améliorer, de la modifier pour en faire une série de questions qui vous conviennent. Il pourra vous être utile de vous y reporter à l'occasion, lorsque les questions vous manquent. Ce petit guide se veut un aide-mémoire.

- Que veux-tu?

- Que veux-tu vraiment?

- En quoi est-ce important pour toi?

- Qu'est-ce que cela te donnerait de plus?

- Si tu avais le choix...?

- Si tu avais une baguette magique, que ferais-tu?

- Si tu étais magicien, que ferais-tu?

- Si tu voyais un magicien, que lui demanderais-tu?

- Pourquoi est-ce important pour toi?

- Comment aimerais-tu que cela se passe?

- Quelle serait la situation idéale?

- Comment serait le professeur idéal?

- Comment seraient idéalement tes parents?

- Si tu pouvais changer quelque chose, que changerais-tu?

- En sortant de cette rencontre, que voudrais-tu pouvoir changer ou améliorer?

- Qu'aimerais-tu changer d'ici une heure?

- Qu'aimerais-tu changer d'ici une semaine?

- Qu'aimerais-tu changer d'ici une année?

- Dessine-moi ce que tu voudrais...

- Parle-moi de la personne idéale, de ton idole.

- Ferme les yeux et rêve à la vie idéale. Que vois-tu? Que fais-tu? Comment te sens-tu?

- Si cela n'existait pas, qu'y aurait-il d'autre à la place?

- Comment aimerais-tu vivre cela?

- Qu'aimerais-tu avoir?

- Si tu avais cela, qu'est-ce que cela te permettrait de faire?

- Si tu faisais cela, qu'est-ce que cela te permettrait d'être?

- Que voudrais-tu que ta mère, ton père, ton professeur, ton ami... te dise?

- Comment devrait-on te le dire?

- Quelles questions devrait-on te poser?

- Si l'on réussissait à changer ton ami, ton professeur... que voudrais-tu de lui?

- Qu'est-ce qui changerait dans ta vie si tout fonctionnait comme tu le souhaites?

Assurez-vous de faire correspondre la représentation spéciale à l'un des cinq besoins. Vous découvrirez, au fur et à mesure de votre expérimentation, de nouvelles questions, de nouvelles voies pour découvrir cette représentation. Risquez, soyez audacieux, allez de l'avant, innovez. Plus vous maîtriserez cette connaissance, plus vous serez capable d'envisager l'avenir avec sérénité. Chercher la représentation spéciale, c'est savoir où l'on veut aller, ce qui est beaucoup plus rassurant que d'avancer sans but.

Conclusion

Dans ce chapitre, nous avons appris à questionner et à écouter l'autre. Il est important d'être vigilant dans notre écoute, de s'assurer de bien comprendre ce que nous dit notre inter-locuteur. Nous devons constamment clarifier le projet, le but, la direction de chacun en regard d'un ou de plusieurs besoins.

C'est une activité d'introspection difficile, qui demande de la réflexion, du temps et un dur labeur. Ce n'est que le début, une étape dans un processus actif axé sur l'action. Savoir, connaître ne suffit pas; il faut comprendre la direction pour guider l'action.

CHAPITRE

III

LE
COMPORTEMENT
GLOBAL

Introduction

Aux chapitres précédents, nous avons vu que l'être humain oriente l'ensemble de ses comportements vers l'atteinte d'un objectif interne, la représentation spéciale individuelle des besoins fondamentaux. L'équilibre intérieur est atteint quand les besoins sont satisfaits de façon régulière. Par contre, lorsqu'il éprouve de la difficulté à satisfaire ces mêmes représentations spéciales, l'individu cherche alors à retrouver cet équilibre intérieur. Jusqu'ici, nous avons abordé les besoins et les représentations spéciales sous un angle analytique. Les pages qui suivent seront maintenant consacrées à une vision intégratrice : le comportement global.

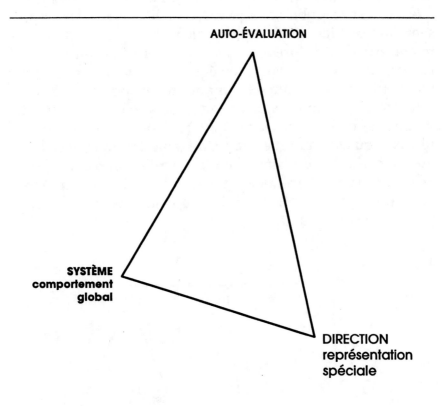

Les signaux du comportement global

Revenons, si vous le voulez bien, aux premières questions que je vous ai invité à vous poser au début de ce livre. Ces questions sont les suivantes :

– Dans quel secteur de ma vie est-ce que je veux apporter une amélioration?
– Qu'est-ce que j'espère gagner grâce à cette amélioration?
– Qu'est-ce que je risque de perdre en faisant ce changement?
– Comment ce livre peut-il m'aider?

Consciemment ou non, vous avez déjà répondu à ces questions. Vous comprenez maintenant que c'était là des questions susceptibles de vous aider à découvrir votre représentation spéciale individuelle. Imaginons que les deux premiers chapitres du présent livre répondent à ce que vous recherchiez. Vous êtes donc en équilibre et vous n'avez qu'à maintenir un minimum de comportements pour poursuivre cette lecture, comme ceux de vous asseoir confortablement, de trouver un bon éclairage, d'interrompre la lecture pour réfléchir ou essayer un exercice, de remettre un énoncé en question, de rire, de faire la moue, de relire un passage, de raconter ce passage à quelqu'un, de rêver... Il y a donc équilibre. Dans ce cas, votre situation pourrait être symbolisée par le schéma qui suit.

À la recherche de l'équilibre

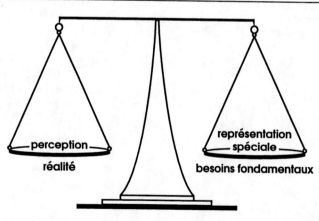

Cependant, si ces deux premiers chapitres ne correspondent pas à vos attentes, vous ressentez un déséquilibre entre ce que vous voulez, votre représentation spéciale, et ce que vous percevez. Sans peut-être même vous en rendre compte, vous allez utiliser une série de comportements pour vous rapprocher de ce que vous voulez. Vous pouvez choisir de vous convaincre qu'en poursuivant la lecture vous finirez bien par y trouver quelque chose d'intéressant. Peut-être choisirez-vous au contraire d'interrompre votre lecture. Vous pourriez également décider de prendre des notes et de réfuter mes thèses publiquement.

En fait, vous avez une certaine conscience de votre comportement par les signaux émotifs que vous ressentez. Ces signaux se traduisent par des sentiments comme la tristesse, la joie, la colère, l'exaspération, l'angoisse, la panique, la sécurité, l'inquiétude, la culpabilité, la peur, le courage, la mélancolie, la gaieté, l'anxiété, la jubilation...

Conjointement à ces signaux émotifs, d'autres signaux peuvent apparaître dans votre corps : une certaine tension musculaire, une accélération de la respiration ou du rythme cardiaque, une lourdeur dans la nuque, une rougeur aux joues, un tremblement, un frisson, la chair de poule, des larmes, un rire, une crampe d'estomac, un noeud dans la gorge, un bâillement, autant de signaux physiologiques dont vous êtes conscient, sans parler des signaux que vous pouvez ne pas ressentir. Bref, ce sont des signaux qui vous indiquent l'existence d'un équilibre ou d'un déséquilibre entre ce que vous voulez et ce que vous percevez. Ces signaux font partie intégrante de votre comportement.

Nous décrivons régulièrement notre comportement à travers nos émotions ou notre corps. Imaginons un échange entre vous en tant qu'intervenant et une cliente.

Vous : «Salut Julie! Que fais-tu ces temps-ci?»

Julie : «Pas grand-chose.»

Vous : «Comment ça "pas grand-chose"? Qu'est-ce qui t'arrive?»

Julie : «Ah... Je suis déprimée ces temps-ci.»

Vous : «Tu devrais sortir, ça te ferait du bien.»

Julie : «Je le sais, mais je n'ai pas la force de m'habiller, je suis trop déprimée.»

Vous : «Tout de même, fais un effort, rencontre des amis, va t'amuser un peu!»

Julie : «C'est trop me demander maintenant, je vais attendre d'aller un peu mieux et là j'envisagerai peut-être de sortir.»

Julie vous a informé qu'elle ne faisait pas grand-chose et qu'elle se sentait déprimée et sans énergie. Elle vous a fait part de ses signaux émotifs et physiologiques. Elle a tenté de vous convaincre de ce qui n'allait pas. Cependant, elle a omis de vous dire ce qu'elle faisait et ce qu'elle pensait. Elle ne vous a donné que des indices partiels de son comportement global.

Le concept de comportement global

Le Dr William Glasser a introduit le concept de comportement global en 1984, dans son ouvrage intitulé *Control Theory*[5]. Selon ses travaux, les signaux émotifs et physiologiques sont deux des quatre composantes du comportement global. Ces signaux ne sont jamais isolés, ils sont toujours accompagnés de deux autres composantes. Ainsi, Julie, qui est déprimée et sans énergie, agit de façon déprimée. Elle refuse de sortir pour rencontrer des amis, prend peu soin d'elle, évite de se coiffer et de s'habiller, peut choisir d'écouter de la musique triste, se plaint à haute voix de sa dépression. De plus, Julie ne se contente pas d'agir de façon déprimée, elle pense également qu'elle est moche, qu'il n'y a rien d'intéressant ou d'excitant dans sa vie, que personne ne s'occupe vraiment d'elle, que rien ne fonctionne comme elle le souhaite.

L'émotion et les manifestations physiologiques sont des signaux importants d'une insatisfaction, alors que l'action et la pensée entretiennent ou nourrissent la dépression. On parle alors de comportement global, car il n'existe aucun comportement sans la présence des quatre composantes : **Action, Pensée, Émotion** et **Manifestations physiologiques.** L'action et la pensée font office de direction, un peu comme la traction avant d'une automobile, alors que l'émotion et les manifestations physiologiques peuvent se comparer au train arrière.

Comportement global

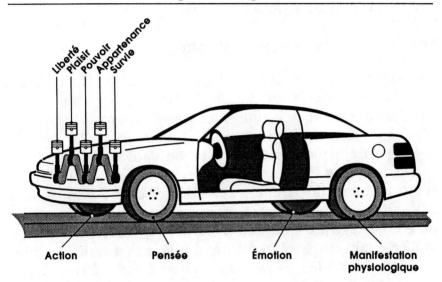

Action Pensée Émotion Manifestation physiologique

Contrairement à la croyance populaire selon laquelle l'émotion précède la pensée ou l'action, la TSD enseigne que nous possédons un contrôle direct sur nos pensées et sur nos actions. Il nous est en effet impossible de ressentir une quelconque émotion sans faire appel à la pensée ou à l'action. Si je vous demandais de ressentir de l'anxiété, comment le feriez-vous? Certains d'entre vous pourraient répondre que c'est impossible, alors que d'autres diraient que c'est au contraire tout à fait possible. Qui dit vrai? Eh bien, tous ont raison! Il est en effet impossible de ressentir à froid des émotions suggérées par quelqu'un d'autre. Cependant, si vous vous concentrez suffisamment longtemps sur une situation anxiogène déjà vécue, il est fort possible que vous sentiez l'anxiété monter en vous. Et pour en augmenter les effets, vous n'aurez qu'à crisper les poings, augmenter votre respiration et taper légèrement le sol du pied. Le tour est joué : vos chances d'éprouver de l'anxiété se multiplieront.

Cela m'amuse toujours de constater à quel point notre langage est truffé d'expressions comme : *n'aie pas peur, calme-toi, relaxe, t'énerve pas, il faut pas s'en faire avec ça, prends ça du bon côté, réjouis-toi...*, alors qu'il est virtuellement impossible de parvenir à ressentir ces émotions sans l'appui d'un discours ou d'une visualisation intérieure (la pensée), ou même d'un agir quelconque (l'action) en ce sens.

Les terreurs de Pascale-Virginie

Alors que notre fille Pascale-Virginie était âgée de deux ans, nous l'avons amenée en Floride. Au cours de la visite rituelle au royaume magique de Disney, j'aperçois le lapin d'Alice au pays des merveilles. N'écoutant que mon bon coeur, j'attrape ma fille au vol et je cours saluer le beau et grand, très grand, très très grand lapin! Oh! déception! Non seulement Pascale-Virginie refuse de s'approcher du lapin, mais elle se contorsionne et se cramponne de telle sorte qu'elle partage presque mon chandail, tant elle l'a tiré. Et me voilà récitant les paroles célèbres d'une mère éberluée par la réaction de sa fille : «*N'aie pas peur, il est gentil le lapin!*» Rien à faire. Terrifiée, elle continue de plus belle à s'accrocher à mon cou. Mon conjoint, plus calme et plus avisé que moi, m'enjoint de quitter ces lieux dangereux, puisque décidément elle ne veut pas le voir, le gentil lapin.

Le lendemain, nous décidons — pour être juste, je devrais dire : «je décide» — de répéter l'expérience. Cette fois, nous allons prendre le petit déjeuner avec les personnages de Disney. Imaginez la scène : papa, maman et Pascale-Virginie, tous assis bien sagement à la table et déjeunant tranquillement. Tout à coup, venant de nulle part, surgissent tous les personnages de l'univers de Disney, y compris bien évidemment le fameux lapin. À une vitesse fulgurante, ma fille se retrouve debout sur sa chaise, cuillère à la main, et hurlant sa peur. Papa et maman tentent de la rasseoir... rien à faire. Les genoux refusent obstinément de plier, et le hurlement croît à mesure que le lapin multiplie ses efforts de gentillesse et de douceur.

Heureusement, j'ai alors choisi de me dire : «*Rien ne sert de lui dire de se calmer ou de cesser d'avoir peur. Actuellement, elle n'a pas de contrôle sur ses émotions, et c'est le meilleur comportement qu'elle a trouvé pour être en sécurité.*» J'ai donc choisi d'intervenir autrement. Je lui ai proposé de faire quelque chose de différent : «*Je sais que tu ne veux pas voir le lapin. Alors, tu vas dire **non** au lapin. Et tu peux le lui dire avec des mots.*»

Ma fille a regardé le lapin droit dans les yeux et lui a dit d'une voix forte, en agitant la main : «*Non, non, fly lapin, fly.*» Le lapin américain n'a pas compris que le «fly» utilisé par ma fille signifiait «va-t-en». Comme le mot *fly* anglais signifie «voler» en français, le lapin s'est mis à gambader autour des tables en faisant de grands battements avec ses bras, comme s'il volait! Pendant ce temps, les genoux de Pascale-Virginie ont commencé à plier, et elle a cessé de hurler.

Elle avait toujours peur du lapin et ne désirait pas plus s'en approcher qu'avant. Elle avait cependant trouvé une nouvelle action pour le tenir éloigné sans se fatiguer autant physiquement et émotivement. Je venais de proposer à ma fille une action différente (dire non au lapin) en accord avec ce qu'elle voulait (se sentir protégée, en sécurité).

Certains d'entre vous me diront peut-être : «*Tu vois, elle a réagi au lapin, elle a eu peur de lui et elle s'est cramponnée à toi!*» Pour moi, ma fille avait à ce moment-là une représentation spéciale de sécurité, de protection (besoin de survie), et l'apparition du lapin déséquilibrait cette représentation. Elle a donc choisi et adopté le comportement qu'elle connaissait depuis longtemps et possiblement le plus susceptible de la placer en sécurité, soit crier à l'aide. Elle ne réagissait pas au lapin, elle agissait dans la direction de sa représentation spéciale. Évidemment, j'utilise le terme «choisir» avec circonspection, car elle a fait son choix en fonction de ce qu'elle connaissait. À ce moment-là, son éventail de choix se limitait à ses deux ans de vie et d'expériences.

De manière graphique, l'exemple précédent pourrait donc s'illustrer comme suit.

Avant l'intervention de maman

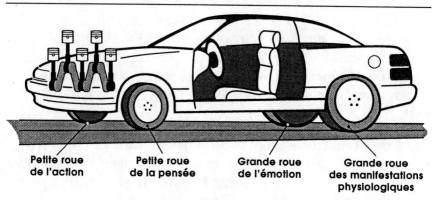

| Petite roue de l'action | Petite roue de la pensée | Grande roue de l'émotion | Grande roue des manifestations physiologiques |

Après l'intervention de maman

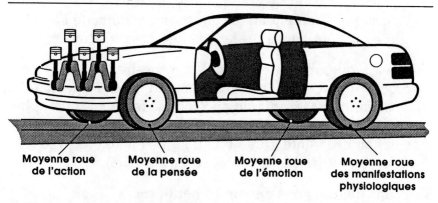

| Moyenne roue de l'action | Moyenne roue de la pensée | Moyenne roue de l'émotion | Moyenne roue des manifestations physiologiques |

Je sais, l'utilisation du terme «choisir» est presque choquante. Nous sommes prêts à accepter l'idée que nous choisissons nos amitiés, nos moments de détente, nos vêtements, ou même, à l'occasion, notre équilibre mental. Mais choisir la peur, l'inquiétude, le déséquilibre, ou même la maladie, ce n'est pas évident!

Les migraines de Francine

Au retour de mon premier séjour à Los Angeles, bien qu'emballée par les idées du Dr William Glasser, j'étais quelque peu perplexe. J'étais d'accord qu'il fallait travailler à rendre nos clients plus responsables de leurs comportements, et même prête à reconnaître qu'ils avaient choisi la délinquance, la déprime. Cependant, reconnaître que moi, j'avais choisi la migraine, non, c'était impossible. Comprenez-moi bien. Pendant plus de dix ans, j'ai souffert de migraines carabinées et jamais, au grand jamais, je ne me suis levée un bon matin en choisissant de souffrir : «*Tiens, c'est une bonne journée pour avoir mal à la tête, des nausées, et peut-être bien quelques vomissements aussi. Allez hop! on commence...*» Non, pour moi la migraine était un symptôme, une réaction, une maladie hors de ma volonté, quelque chose que je subissais régulièrement et qui me rendait la vie franchement misérable. Je n'avais pas besoin de migraines pour vivre ma vie.

Et voilà, la question est lâchée. Si chaque comportement a sa raison d'être, c'est-à-dire s'il est une tentative pour satisfaire la représentation spéciale individuelle d'un besoin fondamental, à quoi pouvaient bien servir mes migraines? Pour moi, il fut difficile de répondre à cette question. Je me suis agrippée aussi longtemps que j'ai pu à l'idée que je subissais ces migraines, que c'était physiologique, une maladie, quoi, quelque chose sur lequel je n'avais aucun contrôle. Force fut de reconnaître pourtant, après plusieurs examens médicaux, que physiquement tout allait bien. Il me fallait donc chercher ailleurs. À quoi pouvaient bien servir mes migraines? J'ai cherché longtemps pour en arriver tranquillement à comprendre que la migraine me donnait une certaine forme de liberté. Elle me permettait de dire **non** après, et parfois longtemps après avoir dit **oui**. Dire que j'étais malade, que j'avais la migraine était souvent le seul moyen de fuir une situation désagréable ou trop engageante. Avoir la migraine est un comportement socialement acceptable qui me permettait de me soustraire à certaines obligations. Je pouvais quitter un engagement quelconque parce que j'étais malade!

Dire «*Non, je n'accepte pas tel contrat alléchant parce que j'ai trop de travail à cette période-ci de l'année*», «*Non, je n'accepte pas de sortir cette fin de semaine, j'ai le goût de me reposer*», «*Non, je ne veux pas répondre au téléphone, j'ai besoin de solitude...*» était quasiment impensable, voire presque impossible. Alors, la migraine me permettait de refuser. Et la liste des demandes est longue, très longue, trop longue.

Dire oui répond tellement bien à mon besoin d'appartenance ou de pouvoir : «*Oui, nous sommes amis*», «*Oui, vous reconnaissez ma compétence et mon savoir*», «*Oui, je suis importante pour vous...*» À court terme, le oui est satisfaisant. À long terme, il devient lourd, car il ne satisfait pas toujours mon besoin de liberté. La migraine, elle, me permettait de ne pas me rendre à mon lieu de travail, de quitter une soirée pour me reposer, de pouvoir être seule dans ma chambre sans communications venant de l'extérieur... La migraine me donnait des permissions, elle satisfaisait mon besoin de liberté. La migraine, tout comme le oui, était satisfaisante à court terme, elle me donnait immédiatement la permission d'arrêter. Comme la plupart du temps je choisissais de dire oui aux demandes, alors que le non m'aurait réservé quelques moments de liberté, c'est la migraine qui s'en est chargé. Non, je n'ai pas choisi précisément la migraine; cependant, j'ai choisi de dire oui plus souvent que nécessaire, malgré le petit signal à l'intérieur de moi qui disait : «*Attention, tu en fais trop. Attention, tu ne veux pas faire ça. Attention, tu devrais dire non!*» À force de ne pas tenir compte de ce signal, mon besoin de liberté n'étant pas suffisamment satisfait, j'ai accentué le déséquilibre en moi, jusqu'à ce que la migraine prenne place, s'impose. En fait, j'avais déjà perçu le signal de déséquilibre, mais j'avais choisi de l'ignorer. Le signal persiste jusqu'à ce qu'il se fasse entendre, de gré ou de force. Oui, j'ai choisi la migraine, parce que je n'ai pas choisi de dire non.

Attention! N'oublions pas que chacun de nous est unique et, à cet égard, cela n'est pas la réponse à toutes les migraines. C'est ma réponse à ma migraine, dans un contexte bien précis de ma vie. Ce qui veut dire que, pour moi, dans mon champ de connaissance et d'expérience, la migraine s'est avérée un comportement global susceptible de m'apporter une partie de ce dont j'avais besoin (liberté). Chacun d'entre nous doit trouver la réponse à ses comportements. Chacun a sa réponse, une réponse différente. Nous sommes uniques et, s'il est vrai que la TSD peut être universelle, l'interprétation en est personnelle. C'est ainsi que certaines personnes vont répondre à leur besoin de liberté en contestant l'ordre établi ou en s'évadant dans l'alcool. D'autres vont se construire des châteaux en Espagne, changer de vêtements, changer de partenaire, voyager, consommer des biens. Tous ces exemples illustrent des comportements globaux. Ce qui nous amène à définir la deuxième clé de l'intervention en TSD.

La deuxième clé de l'intervention en TSD : l'identification du comportement global

Identifier le comportement global ou le système (l'ensemble des comportements globaux) est la deuxième clé de l'intervention en TSD.

Il importe de rechercher les stratégies utilisées par l'individu pour atteindre sa représentation spéciale, car le choix du comportement par une personne, dans une situation donnée, est la meilleure tentative faite par cette personne pour satisfaire ses besoins. Le comportement peut être bon ou mauvais, sage ou insensé, agréable ou désagréable, moral ou immoral, heureux ou misérable. Au moment où il est choisi, il constitue le meilleur choix disponible aux yeux de la personne qui l'utilise.

Rechercher et identifier le comportement global de l'individu permet à l'intervenant de dresser une liste plus ou moins exhaustive des connaissances de son interlocuteur, de ses habiletés, de sa façon habituelle de régler les conflits, de gérer ses émotions, de faire face aux situations difficiles ou intéressantes pour lui.

Vous avez sûrement noté, dans la conversation avec Julie (la jeune femme qui ne se sentait pas suffisamment bien pour entreprendre quoi que ce soit) relatée au début du chapitre, que celle-ci parlait plus de ses états d'âme, de ses émotions que de l'ensemble de son comportement. C'est la responsabilité de l'intervenant d'aller chercher l'information pertinente.

Vous : «Salut Julie! Que fais-tu ces temps-ci?»

Julie : «Pas grand-chose.»

Vous : «Comment ça "pas grand-chose"? Qu'est-ce qui t'arrive?»

Julie : «Ah... je suis déprimée ces temps-ci.»

Vous : «Il y a longtemps que tu es comme ça?»

Julie : «Non, une semaine ou deux. Depuis que j'ai su les résultats scolaires de mon plus vieux.»

Vous : «En quoi les résultats scolaires d'Antoine t'affectent-ils?»

Julie : «C'est dur de voir un enfant intelligent qui ne réussit pas.»

Vous : «Que te dis-tu quand tu penses à cela?»

Julie : «Ben, je me dis que je ne suis pas une bonne mère, que le fait de travailler à l'extérieur n'aide pas Antoine, que si j'étais meilleure en français je pourrais l'aider plus, des choses comme ça.»

Vous : «Et que fais-tu, quels moyens prends-tu pour être plus satisfaite?»

Julie : «Rien, je suis incapable de rien faire. Je pleure et je n'arrête pas de me dire que c'est ma faute. Je suis en congé de maladie depuis quelques jours.»

Vous : «As-tu parlé avec Antoine?»

Julie : «Non, j'ai trop peur qu'il me fasse des reproches.»

Prenez quelques minutes, si vous le voulez bien, pour réfléchir à cet entretien. Décrivez le comportement global de Julie selon les quatre composantes de tout comportement.

Action : _____

_____

_____

_____

_____

_____

_____

_____

Pensée : _____

_____

_____

_____

_____

_____

Émotion : _____

_____

_____

_____

_____

_____

Manifestations physiologiques : _____

_____

_____

_____

_____

_____

Voici, pour ma part, ce que je perçois de son comportement global.

> *Action* Il y a peu d'actions. Julie dit qu'elle est incapable de faire quoi que ce soit et qu'elle est en

congé de maladie depuis quelques jours; elle ne se rend donc pas au travail.

Pensée Elle pense beaucoup, elle se dit que c'est sa faute, qu'elle travaille à l'extérieur, qu'elle n'a pas suffisamment de temps ni la compétence pour aider Antoine et qu'elle ne se sent pas capable de l'aider.

Émotion Elle se sent déprimée et triste (elle pleure). Elle se sent coupable et a peur des reproches.

Manifestations physiologiques Elle pleure, manque d'énergie et n'est probablement pas très forte physiquement.

Pas étonnant qu'elle se dise déprimée! Comment peut-on aider Julie? Sachant que le comportement global ressemble à une automobile à traction avant, illustrons son automobile.

Le déséquilibre de Julie

| Petite roue de l'action | Grande roue de la pensée | Grande roue de l'émotion | Grande roue des manifestations physiologiques |

Observez bien. Que remarquez-vous? L'automobile de Julie présente une petite roue de l'action, une grande roue de la pensée, une grande roue de l'émotion et une grande roue des manifestations physiologiques. Sur quoi Julie a-t-elle du contrôle? Oui, bien sûr, sur la traction avant. Si Julie attend de se sentir mieux pour faire quelque chose de différent, elle risque fort d'attendre longtemps avec une telle image d'elle-même. En fait, Julie est responsable de son comportement dépressif. Il est évident qu'une mère met en doute sa compétence quand son fils revient à la maison avec de piètres résultats scolaires. Il est tout à fait normal qu'elle se sente démoralisée. Cependant, après avoir vécu un premier moment de frustration ou de douleur, Julie a choisi de poursuivre son discours intérieur de culpabilité et de ne rien dire ou faire pour améliorer la situation.

J'ai affirmé plus haut que nous nous comportons toujours en vue de satisfaire nos représentations spéciales et non pour réagir à notre environnement. Si cette affirmation est vraie, comment Julie en est-elle venue à utiliser ce comportement douloureux? Comment ce comportement de déprime peut-il l'aider à obtenir ce qu'elle veut? Il n'y a, en fait, que Julie qui pourrait répondre à cette question. Si, pour vous et pour moi, ce comportement semble l'éloigner de sa représentation spéciale individuelle, il n'en demeure pas moins vrai que Julie a utilisé ce comportement en vue de se rapprocher, sinon de sa représentation spéciale, au moins de son besoin. Le comportement choisi est peut-être, selon Julie, l'un des seuls comportements susceptibles de répondre en partie à ses besoins.

Julie, comme vous et moi, a emmagasiné au cours de sa vie un ensemble de comportements organisés qu'elle a déjà expérimentés et elle y a recours sur une base régulière. C'est ainsi qu'elle a peut-être découvert que la dépression lui donnait un certain pouvoir sur son environnement. Chaque fois qu'elle déprime, quelqu'un se comporte de façon plus satisfaisante pour elle. Peut-être qu'Antoine, devant le désarroi de sa mère, fera plus d'efforts à l'école (besoin de pouvoir : être une mère compétente). Peut-être que son conjoint sera plus attentif à ses demandes (besoin d'appartenance : se sentir aimée). Peut-être encore pourra-t-elle se permettre plus de colères ou d'écarts de conduite (besoin de liberté : se donner des permissions)...

Les comportements de remplacement : répéter à l'infini ou créer?

Ce répertoire de comportements déjà organisés n'exclut pas l'apprentissage ou la création de nouveaux comportements. En effet, nous pouvons, à partir de nos connaissances, de nos rêves, de nos fantasmes, de nos études, de nos lectures, de nos visionnements de films, créer de nouveaux comportements, tous susceptibles de nous aider à mieux satisfaire nos besoins. Ce processus de création est amoral en ce sens qu'il ne tient pas compte du bien ni du mal. Le déséquilibre provoqué par la différence entre ce que nous voulons et ce que nous percevons nous amène à choisir un comportement. Si nos comportements connus nous semblent inefficaces ou inappropriés, nous créerons alors un nouveau comportement.

Un nouveau comportement se crée au moment même où nous l'actualisons. En effet, nous pouvons avoir réfléchi à une façon de faire, mais ne l'avoir jamais mise en pratique; il ne s'agit pas encore d'un comportement global, ce n'est qu'une idée. Mais à partir du moment où nous passons à l'action, cela devient un comportement.

Vous avez peut-être déjà imaginé ou rêvé que vous étiez dans un immeuble en feu et que vous vous en échappiez par une fenêtre à l'aide d'une corde faite de draps déchirés en lanières et attachés les uns aux autres! Avez-vous déjà vécu cette situation? Ceux qui, parmi vous, me disent : «*Oui, j'ai déjà quitté un endroit de la sorte*», parlent de leur comportement organisé. Ceux qui, parmi vous, me répondent : «*Non, je ne l'ai jamais fait, mais j'y ai déjà pensé*», font état de leur créativité. Cette possibilité d'agir, cette action potentielle s'ajoute aux stratégies que vous possédez déjà. Vous n'aurez peut-être jamais à utiliser cette idée, mais elle restera là où elle est, attendant d'être mise à l'essai. Si vous choisissez un jour de passer à l'action, l'idée se transformera en comportement organisé, et vous pourrez toujours y avoir recours de nouveau. On dira de vous que vous avez réorganisé un comportement parce que vous avez utilisé une stratégie que vous n'aviez jamais mise en action auparavant.

Les enfants créent beaucoup de nouveaux comportements, car leur actualisation, leur répertoire de comportements, est limité. En grandissant, nous avons tendance à réutiliser les mêmes comportements et à limiter, de ce fait, notre créativité. Réutiliser un comportement connu a l'avantage de nous permettre de connaître ou de prédire les résultats probables de ce comportement, alors que créer un comportement nous précipite dans l'inconnu; nous ne pouvons qu'espérer qu'il fonctionnera adéquatement pour nous. Et le but de tout comportement est d'atteindre de façon satisfaisante nos représentations spéciales individuelles, d'atteindre ce vers quoi nous nous dirigeons.

J'en suis venue à la conviction que nous nous comportons pour notre satisfaction et non contre quelqu'un d'autre ou en réaction à quelqu'un d'autre. Pour ma part, cette découverte a été extrêmement importante dans mes relations interpersonnelles.

Je m'explique. En général, personne ne cherche à faire du mal à l'autre. Chacun ne cherche qu'à se faire du bien, quoique les conséquences de son comportement puissent blesser l'autre. L'enseignant en classe qui distribue les résultats scolaires à ses élèves pourrait bien entendre l'un d'entre eux dire : «*Va donc ch....!*» Ce langage grossier semble lui être destiné. Cependant, il ne sert peut-être qu'à redonner une certaine forme de pouvoir à l'élève qui a échoué à ses examens. L'élève qui a prononcé ces mots exprime peut-être son appartenance face aux camarades. Ou encore il recherche peut-être la liberté en se faisant sortir de la classe ou même expulser de l'école. L'élève qui perçoit un déséquilibre entre ce qu'il veut et ce qu'il a se comporte immédiatement de façon à se rééquilibrer et cela, parfois, au détriment de son entourage. Si le comportement d'un autre me blesse, je travaille, quand j'en suis capable — et je dis bien quand j'en suis capable —, à le percevoir comme une tentative de la part de la personne pour se faire du bien plutôt qu'une tentative pour me faire du mal.

– Comment peut-il me faire ça à moi?

- Elle vient me chercher!
- Il m'a rapporté de mauvais résultats scolaires.
- Elle me met en colère.
- Il veut me mettre en colère.
- Elle veut ma peau.
- Il ne m'aura pas.
- Pourquoi me fait-elle ça?

Ce sont des phrases que j'ai longtemps utilisées. Peut-être les reconnaissez-vous, vous aussi? Je tente maintenant de substituer à ces expressions douloureuses des questions comme :

- À quoi sert ce comportement?
- À quel besoin répond-il en agissant de la sorte?
- Qu'est-ce que ça lui rapporte?
- Qu'est-ce que ça change dans sa vie d'utiliser ce comportement?
- S'il abandonnait ce comportement, que perdrait-il?

Bien sûr, cette manière de penser ne me libère pas totalement de la frustration. Cependant, cela m'aide à différencier le comportement de la personne. Je me rends compte souvent qu'un comportement de colère n'est que très rarement dirigé contre moi, mais qu'il sert le plus souvent d'exutoire à la personne. J'ai appris que je n'avais pas de plus grande ennemie que moi-même! Bien entendu, à l'occasion, certains comportements de la part des gens qui m'entourent semblent provoquer de la colère en moi, mais est-ce bien le cas? Si, à la suite du comportement de l'autre personne, j'éprouve un signal émotif désagréable, j'organise aussitôt ma pensée pour augmenter ce signal. Quand, dans mon auto, en revenant du travail, je continue d'engueuler copieusement mon patron, qui, selon vous, ajoute à ma colère? Lui ou moi?

De la théorie à la pratique

Agir sur soi-même

Comme je l'ai déjà mentionné, je veux donner au présent livre une orientation pratique. Les prochaines pages seront donc consacrées à cet aspect. Commençons, si vous le voulez bien, par vous-même. Pendant quelques instants, vous serez votre propre client. Ensuite, nous examinerons ensemble comment s'y prendre avec un interlocuteur.

L'exemple qui suit est fait en relation avec le besoin d'appartenance. L'exercice complet devrait être réalisé avec l'ensemble des besoins et des représentations spéciales. À ce point-ci, toutefois, je présume que vous avez déjà assimilé ces concepts et que vous pouvez effectuer les transferts appropriés.

Tout d'abord, décrivez, dans un contexte précis, par exemple celui du travail, ce qui est acquis en ce qui a trait à la satisfaction des besoins et aux comportements ou stratégies que vous avez utilisés pour y arriver.

Appartenance :

> *Acquis* J'ai quelques amis au travail, je sens que je peux m'exprimer librement avec eux et que je suis assez bien accepté par la majorité d'entre eux.

> *Comportement global* Je vais dîner au moins une fois par semaine avec Gilbert et Lorraine. Quand je vois que la porte du bureau de Josée est ouverte, je prends le temps de m'arrêter pour lui parler. Je voyage en autobus avec Jacques tous les matins, et nous parlons de choses et d'autres. J'ai du plaisir avec eux, je me sens accepté tel que je suis.

Décrivez ensuite ce que vous aimeriez acquérir dans un délai assez court et les comportements que vous avez choisi d'utiliser pour y arriver.

Appartenance :

> *À acquérir* Le travail d'équipe me manque mainte-
> nant. Je veux une équipe de travail!

> *Comportement global* Je parle peu aux réunions
> d'équipe et encore, lorsque je parle, je ne dis que le
> strict minimum. Je ne suis pas le plus grand parleur
> de l'équipe. J'évite d'aller aux pauses-santé, prétex-
> tant que c'est une perte de temps et que j'ai trop de
> travail. Je ne me sens pas à l'aise quand je suis en
> groupe, il me semble que ce que je dis, c'est idiot!

Pour chacune des représentations spéciales énumérées, vous
pouvez choisir d'indiquer le comportement adopté pour
l'atteindre.

Qu'est-ce que je fais?	(Action)
Qu'est-ce que je me dis?	(Pensée)
Comment est-ce que je me sens?	(Émotion)
Mon corps me dit-il quelque chose?	(Manifestations physiologiques)

Si certains concepts vous paraissent confus ou si la technique
du remue-méninges ne vous est pas familière, je vous encou-
rage à revenir en arrière et à relire les passages du livre qui
pourraient vous aider.

Et maintenant que vous avez réussi l'exercice que je viens de
vous proposer, vous pouvez intégrer cette approche dans
vos interventions de relation d'aide.

Intervenir auprès d'un interlocuteur

Dans vos interventions, vous aurez à examiner les stratégies
utilisées pour obtenir la représentation spéciale soit par des
échanges verbaux, soit par des observations. Vous aurez
également à proposer la réutilisation de certains comportements ou l'apprentissage de nouveaux comportements plus

susceptibles de satisfaire la représentation spéciale de votre interlocuteur.

Observer le comportement d'une autre personne n'est pas une tâche facile. Nous avons tendance à interpréter l'action de l'autre à travers nos émotions et nos connaissances antérieures. Ainsi, je me souviens d'un ancien coéquipier qui, pour mieux intervenir auprès de deux jeunes qui se tiraillaient, avait crié très fort pour se faire entendre. À son cri, j'avais sursauté, et mon coeur s'était mis à battre à tout rompre dans ma poitrine. J'étais sûre qu'il s'était mis en colère. À ma grande surprise, il s'était ensuite retourné vers moi et avait continué la conversation comme si de rien n'était. Si j'avais eu à décrire son comportement dans cette situation, j'aurais probablement indiqué qu'il s'était comporté de façon agressive et colérique. En effet, dans ma famille, nous n'élevions jamais la voix, car c'était le signe d'une grande colère. Pourtant, Henri n'était pas en colère. Il avait simplement utilisé un comportement qu'il connaissait, c'est-à-dire crier pour mieux se faire entendre. Moi, j'ai interprété son comportement à travers mon émotion de crainte face à la colère d'autrui.

Lorsque vous observerez, décrivez l'action du comportement plutôt que la globalité du comportement. Exemples:

Interprétation du comportement	Action du comportement
Elle a refusé de répondre au téléphone...	Le téléphone sonnait, et elle n'a pas répondu.
Il l'a empêché de passer...	Il était debout dans l'embrasure de la porte.
Il est parti en colère...	Il a donné un coup de poing dans la porte en quittant le bureau.

Évitez autant que possible de faire des interprétations. Interrogez la personne sur ce qu'elle pense et sur ce qu'elle ressent dans la situation en cause. Avec de très jeunes enfants ou avec certaines clientèles, vous aurez peut-être à proposer votre interprétation de leur émotion. Répondre à des questions comme «Comment te sens-tu?» peut être difficile pour certains, et les aider dans le choix des mots peut contribuer à faciliter la communication. Par exemple, le comportement de l'enfant qui brise des objets peut très bien exprimer la colère, la tristesse, la déception, voire l'inquiétude. Si on lui demande alors : «Es-tu fâché ou triste?», on lui offre la possibilité de réfléchir à ce qu'il ressent, ce qui lui permet d'accroître son autonomie.

Si vous faites l'exercice en groupe, demandez à chaque membre du groupe de préciser ce qu'il fait, dit, pense et ressent pour aider le groupe à être ce qu'il devrait être idéalement. Attention! Il faut être vigilant dans l'identification du comportement global, car celui-ci est toujours en lien avec la représentation spéciale du besoin. Vous avez donc avantage à clarifier cette représentation et à éviter les non-représentations avant de remettre en cause le comportement choisi.

Nous tenons souvent pour acquis que nous avons compris, à la suite des quelques réponses données du bout des lèvres, les stratégies utilisées par notre interlocuteur. Rappelez-vous que vous ne percevez, de son comportement global, que l'action de celui-ci à travers votre propre système perceptuel. N'hésitez pas à lui demander comment lui est venue cette stratégie spéciale, comment il l'a construite, comment il l'a vécue. Vous obtiendrez ainsi une richesse de stratégies jusque-là insoupçonnée! De plus, ces stratégies vous seront utiles lorsque vous travaillerez à trouver de nouvelles solutions.

D'autres questions célèbres

Voici une liste de questions élaborées avec des participants de différents niveaux d'apprentissage en TSD. Cette liste n'est évidemment pas exhaustive, et il vous appartient de la compléter, de l'améliorer, de la modifier pour en faire une série de questions qui vous conviennent. Il pourra vous être utile de la consulter à l'occasion, lorsque les questions vous manquent. Ce petit guide se veut un aide-mémoire.

Question	Domaine
Qu'as-tu choisi de faire?	Action
Quelle a été ta réaction?	Émotion
Raconte-moi ce qui s'est passé.	Comportement global
Qu'en penses-tu?	Pensée
Que te dis-tu?	Pensée
Que vois-tu dans ta tête quand cela se passe?	Pensée
Quels mots te viennent à l'esprit?	Pensée
Comment vois-tu cela?	Pensée
Comment te sens-tu?	Émotion
Comment vis-tu cela?	Émotion
As-tu peur, de la peine, des inquiétudes, de l'angoisse...?	Émotion
As-tu des réactions physiologiques, dors-tu bien?	Manifestations physiologiques
Quels moyens as-tu pris pour que ton professeur, ton ami, ta mère comprenne?	Action
Qu'est-ce qui te fait dire que ton professeur sait ce que tu veux?	Pensée
Lui as-tu dit?	Action
Tu me dis que c'est la faute de... si cela ne fonctionne pas?	Pensée
Qu'as-tu choisi de faire pour obtenir ce que tu veux?	Action

Conclusion

Identifier le comportement global, c'est déjà beaucoup plus que de simplement rechercher la représentation spéciale. En découvrant les stratégies utilisées pour obtenir cette représentation, nous dépassons le stade de l'analyse passive, de la pensée et des intentions. Nous rencontrons les différents aspects de l'individu.

Nous constatons rapidement qu'il serait futile d'examiner seulement le comportement de l'individu sans rechercher la motivation ou la représentation spéciale qu'il tente de satisfaire en adoptant ce comportement.

Dans ce chapitre, nous avons établi la base du triangle. D'un côté, il y a la représentation spéciale du besoin et, de l'autre côté, le comportement global. L'un ne va pas sans l'autre. Il n'existe aucun comportement sans une raison d'être. Et chaque représentation spéciale exige une satisfaction.

L'AUTO-ÉVALUATION

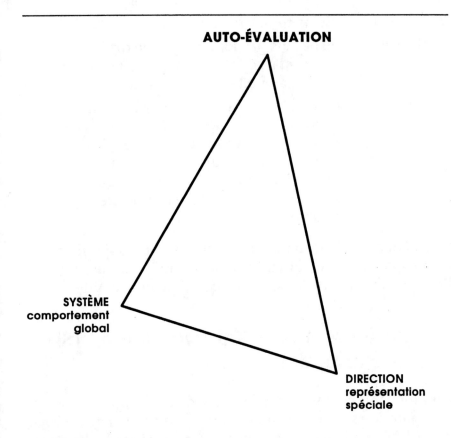

AUTO-ÉVALUATION

SYSTÈME
comportement
global

DIRECTION
représentation
spéciale

Introduction

Imaginons, si vous le voulez bien, le dialogue suivant qui saisit sur le vif une intervention visant l'auto-évaluation.

Adolescent : «Ça n'a pas de sens! Elle me croit encore un petit garçon, elle me traite comme un bébé.»

Intervenant : «Comment voudrais-tu qu'elle te traite?»

Adolescent : «En homme, voyons! J'ai seize ans, je ne suis plus un bébé!»

Intervenant : «Et si elle te traitait en homme, qu'est-ce que ça changerait pour toi?»

Adolescent : «Bien, on aurait de vraies discussions, pas des monologues où elle me dit à quelle heure je dois rentrer.»

Intervenant :	«En as-tu discuté avec elle?»
Adolescent :	«Je ne suis pas fou. Elle va me dire de rentrer à 23 h, mais c'est quand même moi qui vais décider à quelle heure je rentre.»
Intervenant :	«Quand tu choisis de rentrer à l'heure que tu décides, est-ce que cela te permet d'avoir de vraies discussions avec ta mère? Quand tu choisis de ne pas discuter avec ta mère de l'heure à laquelle tu aimerais rentrer, est-ce que cela te permet de te faire traiter en homme?»

Quelle que soit la situation, le processus sera toujours le même, parce que le but visé sera toujours identique, soit l'auto-évaluation de la personne que l'on tente d'aider.

La troisième clé de l'intervention en TSD : l'auto-évaluation

L'auto-évaluation est la **clé de voûte** de cette approche. Sans elle, point de salut! C'est aussi la partie de la démarche la plus difficile, car si nous connaissons maintenant la direction et le comportement utilisé par nous, notre enfant ou notre client, il nous faut à présent travailler à l'évaluation de la direction, ou encore à celle des moyens utilisés pour la concrétiser.

Pourquoi l'auto-évaluation est-elle difficile? Parce que nous nous comportons toujours en vue de satisfaire les représentations spéciales de nos besoins et que nous utilisons le meilleur comportement disponible à ce moment précis. Ainsi, s'apercevoir que le meilleur comportement disponible s'avère inefficace est douloureux. Comprendre qu'il nous éloigne de notre représentation spéciale, ou encore empêche la satisfaction d'une autre représentation est douloureux. Enfin, se l'avouer à soi-même ou le confier à un intervenant est tout aussi pénible.

La douleur ne s'arrête pas là, elle s'étend aussi jusqu'à l'intervenant, puisqu'il est douloureux de confronter une autre personne. J'ai choisi mon métier de relation d'aide justement pour aider les autres à être mieux dans ce qu'ils vivent, et non pas pour leur faire mal. Pourtant, de savoir que ce questionnement provoque un malaise chez l'autre en provoque également un chez moi. Pour l'éviter, j'ai parfois préféré escamoter l'auto-évaluation. Mal m'en prit. J'ai obtenu plus de résistances au changement, plus de justifications, plus d'abandons qu'auparavant. Avant d'accepter de changer de comportement, avant d'accepter d'aller chercher de l'information, avant d'accepter de changer de direction, nous devons tous franchir l'étape essentielle de l'auto-évaluation.

Revenons aux exemples des chapitres précédents. Vous vous souvenez sans doute de la situation où ma représentation spéciale du besoin d'appartenance, à la page 86, était de faire partie d'une équipe. Mon comportement global était de peu parler aux réunions et d'éviter de me présenter aux pauses-santé. Il peut vous paraître évident, dès lors, que je dois changer de comportement. Vous savez probablement que je devrais parler plus, participer davantage, et vous m'en ferez peut-être la suggestion. Essayons, voulez-vous?

Moi : «Ce que je veux vraiment, c'est de sentir que je fais partie intégrante de l'équipe, que j'appartiens à l'équipe ici.»

Vous : «Quels moyens as-tu utilisés jusqu'à maintenant?»

Moi : «Pas grand-chose. Je voyage avec Jacques, je jase un peu avec Josée quand elle laisse sa porte ouverte et je dîne chaque semaine avec Gilbert et Lorraine.»

Vous : «Je crois que tu devrais t'engager plus à fond, participer activement aux activités sociales de l'équipe, parler aux réunions, t'imposer, quoi. Les gens ignorent vraiment quelle perle tu es!»

Moi : «Ah! non, je suis trop gênée, je ne suis pas à l'aise dans le rôle d'un clown. Les gens ne m'écouteront pas de toute façon.»

Vous : «Essaie au moins, ça ne peut pas te faire de mal...»

Moi : «Ah! non, je ne me sens pas capable de faire ça.»

Vous : «Si tu ne l'as pas essayé, tu ne peux pas savoir.»

Moi : «J'ai déjà tout essayé...»

Nous pourrions poursuivre cette conversation pendant des heures et des heures. De fait, vous allez travailler plus fort que moi pour me convaincre de faire autre chose, et peut-être qu'à la longue vous vous fatiguerez de moi (si ce n'est déjà chose faite)!

Reprenons la discussion en y introduisant l'auto-évaluation. Les astérisques (*) qui précèdent les phrases indiquent qu'il s'agit de questions d'auto-évaluation.

Moi : «Pas grand-chose. Je voyage avec Jacques, je jase un peu avec Josée quand elle laisse sa porte ouverte et je dîne chaque semaine avec Gilbert et Lorraine.»

*Vous : «Est-ce suffisant pour te sentir plus à l'aise dans l'équipe?»

Moi : «Ben, je peux pas vraiment faire plus.»

*Vous : «En fait, ma question est la suivante. Cela fait un petit moment que tu travailles dans cette équipe et tu commences à en connaître les membres un peu plus. Le fait d'attendre que Josée laisse sa porte ouverte pour lui parler te permet-il de sentir que tu fais partie de l'équipe?»

Moi : «Ben...»

*Vous : «Ne pas aller aux pauses-santé te permet-il de t'intégrer à l'équipe?»

Moi : «Non, mais les gens me gênent.»

*Vous : «Si tu continues à agir comme tu le fais et que tu persistes à te dire que tu es gênée, est-ce que cela t'aide?»

Moi : «Non.»

*Vous : «Veux-tu qu'ensemble nous travaillions à ce que tu puisses mieux t'intégrer dans l'équipe?»

Moi : «Oui.»

Nous devons faire le point entre ce que je fais, ce que je pense, ce que je ressens et ce que je veux. Nous devons nous poser des questions du type suivant: «*Est-ce que ça marche?*», «*Ai-je obtenu ce que je voulais?*», «*Ce qui m'arrive ressemble-t-il à ce que j'espérais?*», «*Si je continue de la sorte, ai-je des chances raisonnables d'obtenir ce que je veux?*»

L'auto-évaluation est un lieu de comparaison. De fait, chez chacun d'entre nous, tout le processus se fait inconsciemment, bien avant que l'on ait besoin de l'intervenant et de son intervention. À chaque comparaison entre la représentation spéciale du besoin et la perception de ce qu'il a obtenu, l'individu choisit un certain comportement, l'actualise, l'évalue, s'ajuste, le réévalue et continue ainsi jusqu'à satisfaction. L'auto-évaluation remet en question constamment la représentation spéciale et le résultat du comportement global choisi.

L'intervenant n'apparaît que lorsque l'individu a été incapable, se juge incapable, ou encore a été jugé incapable de maintenir ou de retrouver son équilibre. Cette situation de déséquilibre peut avoir plusieurs causes. La représentation spéciale peut n'être pas suffisamment claire, le comportement peut être inadéquat, la perception du comportement peut être altérée ou modifiée. L'individu peut ne pas posséder les moyens de se rééquilibrer. Enfin, la douleur provoquée par le déséquilibre est peut-être tellement forte qu'elle résiste aux modes de résolution de problèmes connus par cette personne.

Mise en situation : un exemple d'application

Vous souvenez-vous quand, au troisième chapitre, je vous ai encouragé à vous poser des questions quant à l'atteinte de vos objectifs par rapport au présent livre? Je vous ai demandé si les deux premiers chapitres répondaient à ce que vous recherchez. Vous comprenez maintenant que je vous posais une question d'auto-évaluation à laquelle vous seul pouviez répondre. Il en va de même pour tout être humain. Chacun est seul en mesure de s'auto-évaluer, personne ne peut le faire à sa place.

À votre tour maintenant de poursuivre l'intervention que vous aviez entreprise au deuxième chapitre.

Client : «J'en ai assez, ça ne peut plus continuer comme ça!»

Vous : «Qu'est-ce qui ne va pas?»

Client : «C'est Claire. Elle me surveille sans cesse, elle veut connaître mes allées et venues, savoir avec qui je suis, ce que j'ai fait, pourquoi je l'ai fait...»

Vous : «Je comprends que cela doit être difficile à vivre, mais, dis-moi, comment aimerais-tu qu'elle se comporte avec toi?»

Client : «Qu'elle me fasse confiance!»

Vous : «Si cela se passait ainsi, qu'est-ce que cela te donnerait de plus?»

Client : «De la liberté dans mon organisation quotidienne!»

Vous : «Donne-moi un exemple.»

Client : «J'organiserais mon emploi du temps au lieu d'essayer d'éviter de la croiser dans le corridor ou encore de fuir quand je la vois venir de loin. Je pourrais choisir ce que je vais faire et quand et comment je vais le faire...»

Vous : «Lui en as-tu parlé?»

Client : «Elle ne comprendrait pas.»

Vous : «As-tu essayé autre chose que de lui parler?»

Client : «Je l'évite autant que possible.»

Vous : «...»

Les questions d'auto-évaluation sont en général des questions fermées, c'est-à-dire que l'intervenant désire obtenir une réponse précise, un oui ou un non. L'auto-évaluation est utilisée comme une confrontation, non pas une confrontation entre deux individus, mais plutôt une confrontation interne.

Vous : «Le fait de l'éviter change-t-il quelque chose à son comportement?»

Client : «Non, mais...»

Vous : «Le fait de ne pas lui en parler lui permet-il de mieux comprendre ce que tu souhaites?»

Client : «Non, mais elle ne comprendrait pas.»

Vous : «Si tu ne l'as pas fait, comment peux-tu être certain qu'elle ne comprendrait pas? Si tu persistes à penser qu'elle ne comprendrait pas, cela t'aide-t-il à mieux dire ce que tu veux? Cela fonctionne-t-il bien pour toi? Es-tu satisfait de ce que tu vis présentement au travail?...»

L'intervenant ne fait que présenter à son client le déséquilibre de ce dernier. Il ne lui appartient pas de juger ni d'évaluer les choix de son client. Il lui revient, cependant, de tenir solidement entre ses mains, d'un côté, ce que veut le client, et de l'autre, les résultats qu'il a obtenus jusqu'ici. C'est pour cette raison que je vous recommande de répéter le plus exactement possible les paroles et les gestes de vos clients dans l'espoir de ne pas mal interpréter ce qu'ils vous disent. Soyez prudent, votre ton de voix et votre attitude peuvent influencer la réponse. Si vous vous avancez le doigt pointé et le ton moralisateur, vous avez déjà renseigné votre interlocuteur sur votre propre évaluation de la situation. On ne parle plus alors d'auto-évaluation, mais plutôt d'influence, pour ne pas dire d'intimidation. Cela devient une confrontation entre vous et votre interlocuteur. L'auto-évaluation est une confrontation, c'est vrai, mais uniquement à l'intérieur de soi : «*Ce que je fais me donne-t-il ce que je veux?*»

Comprendre les différentes formes d'auto-évaluation

Il existe plusieurs formes d'auto-évaluation, que je vous exposerai maintenant dans les prochaines pages. Ces diverses formes peuvent être utilisées tout aussi bien dans une intervention structurée que dans une conversation amicale. Elles peuvent évidemment servir aussi dans notre cheminement personnel.

L'auto-évaluation générale

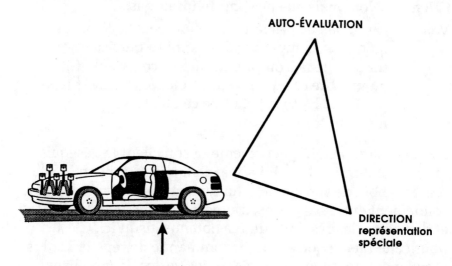

AUTO-ÉVALUATION

DIRECTION
représentation
spéciale

L'auto-évaluation générale consiste essentiellement à évaluer la dimension émotive (roue de l'émotion) du comportement de la personne.

– Suis-je satisfaite de ma vie?

– Est-ce le genre de relation qui m'intéresse?

– Est-ce que je me sens heureuse et bien dans ce que je vis?

– Comment vas-tu?

– Es-tu heureux?

– Est-ce satisfaisant pour toi?

C'est cette auto-évaluation, faite consciemment ou non, qui nous amène à téléphoner à un ami pour lui demander de l'aide, ou à prendre rendez-vous avec notre médecin de famille, ou encore à rencontrer un professionnel.

Vous vous souvenez de notre conversation avec Julie (la mère dont le fils Antoine ne réussissait pas bien à l'école)? Cet entretien représente bien ce type d'auto-évaluation générale. Souvent, comme l'illustre cet exemple, vous n'avez pas à poser la question, elle va de soi.

Vous : «Salut, Julie! Que fais-tu ces temps-ci?»

Julie : «Pas grand-chose.»

Vous : «Comment ça "pas grand-chose"? Qu'est-ce qui t'arrive?»

Julie : «Ah!... Je suis déprimée ces temps-ci.»

Vous : «...»

Cette conversation nous indique clairement l'insatisfaction de Julie, et il n'est pas nécessaire d'insister davantage. Cependant, quand la situation vous semble ambiguë, voire nébuleuse, il peut être utile d'aller vous renseigner. Le Dr Glasser est passé maître dans l'art d'appliquer cette forme d'auto-évaluation. Au bout de quelques minutes d'entretien avec un client, il se balance nonchalamment et dit : «*Et toi, es-tu satisfait de ce qui se passe pour toi?*» Généralement, le client arrondit la bouche, soulève les sourcils, agrandit les yeux, arrête de respirer et laisse entendre, dans un soupir : «*Non, bien sûr que non!*» Puis, avec un hochement de tête, le Dr Glasser ajoute : «*Bien, c'est important que nous sachions cela*», et il entame la recherche de la représentation spéciale du besoin avec son client : «*Si tu étais satisfait, comment cela se passerait-il pour toi?...*»

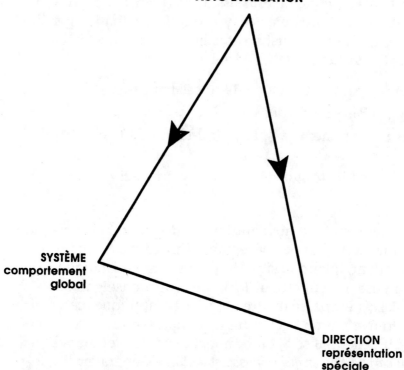

AUTO-ÉVALUATION

SYSTÈME
comportement
global

DIRECTION
représentation
spéciale

De manière imagée, ce processus ressemble un peu à un liquide que l'on verse dans un entonnoir et qui fait des tourbillons. Vous commencez l'intervention en faisant de larges cercles tant en ce qui concerne la direction (la représentation spéciale) qu'en ce qui a trait au système (le comportement global) et à l'auto-évaluation, puis vous recommencez et recommencez de nouveau jusqu'à ce que le tout devienne très petit et très précis. C'est à ce moment seulement que le changement peut se produire. Le changement s'effectue difficilement avant l'auto-évaluation. Ce qu'il faut comprendre, c'est que nous ne sommes pas devant un processus linéaire. Nous ne pouvons nous contenter d'une auto-évaluation générale, car elle n'est habituellement pas assez puissante pour entraîner un changement plus profond. Il faut utiliser cette forme d'auto-évaluation comme tremplin pour les étapes suivantes.

L'auto-évaluation explicite

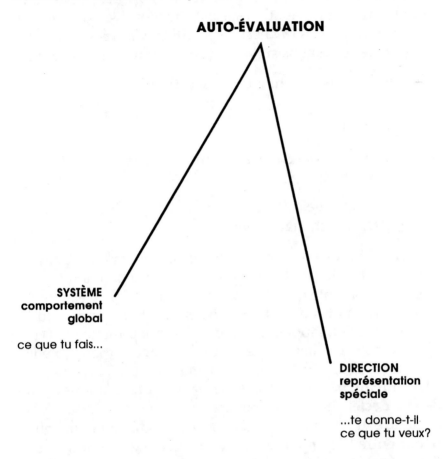

AUTO-ÉVALUATION

SYSTÈME
comportement
global

ce que tu fais...

DIRECTION
représentation
spéciale

...te donne-t-il
ce que tu veux?

L'auto-évaluation explicite est, pour moi, la plus satisfaisante de toutes les formes d'auto-évaluation. Très précise et claire, elle utilise à la fois le comportement global et la direction (la représentation spéciale) : «*Ce que tu as choisi de faire te permet-il d'obtenir ce que tu veux?*» Elle a l'avantage d'inclure et de responsabiliser l'individu dans sa démarche de mieux-être. Elle met en parallèle autant son intention que la façon d'y répondre. Si la première forme d'auto-évaluation est essentielle à la prise de décision, la deuxième, elle, est essentielle au changement. L'individu doit évaluer non seulement sa satisfaction générale, mais aussi son comportement précis dans l'obtention de cette satisfaction. Cette évaluation inclut les deux composantes du comportement global dont l'individu a le contrôle, c'est-à-dire l'action et la pensée, en regard d'une représentation spéciale bien précise : «*Ton action et ta pensée sont-elles en direction de ce que tu veux?*» On peut imaginer les questions suivantes pour stimuler le processus :

– Ce que tu fais te donne-t-il ce que tu veux?

– Quand tu lui as dit cela, a-t-elle répondu comme tu le souhaitais?

– Après que tu as envoyé promener ton patron, celui-ci t'a-t-il traité avec plus de respect?

– En te disant que cela ne marchera pas, t'aides-tu à apporter des changements?

En fait, l'auto-évaluation explicite est celle dont il est question au début du présent chapitre. Elle est cependant tellement confrontante qu'il faut y aller en douceur, avec une main de fer dans un gant de velours! C'est un moment fort de l'entrevue et, rappelons-le, une phase habituellement très difficile pour les deux partenaires de l'intervention, qu'elle soit professionnelle ou tout simplement amicale. Il faut beaucoup de persévérance. Poser la question d'auto-évaluation ne déclenche pas nécessairement une réponse de la part de l'autre. Il faut parfois accepter de faire de nombreux aller-retour entre le comportement, la représentation spéciale et l'auto-évaluation. Il importe donc de parler doucement, sans hâte, sans blâmes ni reproches, d'écouter la réponse sans porter de jugement et de rassurer le client quant à notre rôle de soutien. S'auto-évaluer sans l'espoir d'un changement meilleur ne sert à rien; s'auto-évaluer pour risquer de perdre encore plus ne sert à rien; s'auto-évaluer pour ensuite essuyer le refus d'aide ne sert à rien.

Je sais maintenant que je n'ai pas toujours besoin d'entendre la réponse à l'auto-évaluation. Il m'arrive de dire : «*Tu n'es pas obligé de me répondre maintenant, mais j'aimerais que tu y réfléchisses... Par ce comportement, as-tu obtenu ce que tu voulais vraiment?*» Plus d'une fois certains amis, parents ou clients ont choisi de répondre immédiatement, d'autres ont préféré se taire. Peu m'importe, tous portent en eux cette question, et chacun a le loisir d'y répondre quand il se sentira capable de le faire. Je n'hésite jamais à souligner qu'ensemble nous pouvons travailler à trouver une solution acceptable et satisfaisante, si ce n'est dans ce que l'autre veut, tout au moins dans ce dont il a besoin.

L'auto-évaluation systémique

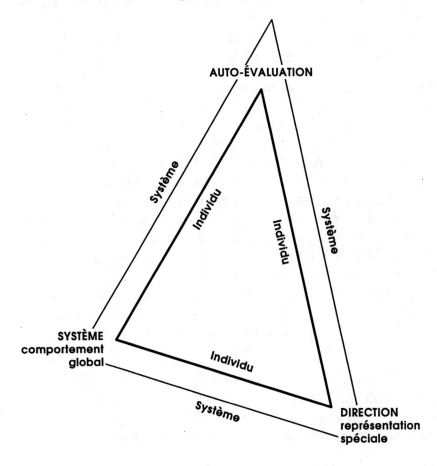

L'évaluation externe est parfois nécessaire, mais pas toujours convaincante. En effet, elle a trait à une évaluation extérieure à l'individu.

- Est-ce en accord avec les règlements?

- Peut-on accepter pareil comportement?

- Est-ce un bon comportement?

- Est-ce gentil envers l'ami?

Elle ne rejoint pas vraiment la représentation spéciale du besoin ni la direction de l'individu, mais place l'individu en relation avec la direction des autres, avec la direction de l'organisation. Il s'agit donc d'une motivation externe. Cette auto-évaluation est souvent utilisée dans un contexte disciplinaire et doit, pour être renforcée, fortifiée et solidifiée, être jumelée à d'autres formes d'auto-évaluation.

Malgré ces dernières caractéristiques, l'auto-évaluation systémique est parfois le premier pas dans la direction d'un éventuel changement. Dans la plupart des cas, en effet, on vous répondra non à cette forme d'auto-évaluation, mais vous entendrez en filigrane un tout petit oui, en fait, bien plus fort que le non initial. Il y aura, bien sûr, des haussements d'épaules, des yeux au plafond, des soupirs qui s'échapperont de l'élève à qui on aura demandé : «*Est-ce en accord avec les règlements que de courir dans les corridors?*» ou du travailleur adulte à qui l'on aura fait remarquer : «*Respectes-tu tes engagements en arrivant en retard le matin?*» En fait, c'est avec ce petit oui qu'il faut travailler. N'oublions pas que tout comportement est satisfaisant pour l'individu, alors que ce que nous lui proposons en respectant les règlements ne lui semble pas aussi satisfaisant.

Imaginez la scène suivante. Vous surveillez la récréation dans la cour de l'école et Éric est encore impliqué dans une bagarre. Vous le rencontrez pour la nième fois et lui demandez si son comportement est acceptable à l'école.

Éric : «Non, mais (c'est le petit oui) c'est comme ça qu'on règle les problèmes à la maison et il n'est pas question que je passe pour un téteux en allant me plaindre au surveillant.»

Vous : «Le règlement dit que tu n'as pas le droit de te battre ici. Si tu continues comme ça, tu risques d'être expulsé.»

Éric : «Ça ne me dérange pas!»

En fait, Éric choisit de se battre parce qu'il évalue que ce comportement est le meilleur qu'il peut utiliser pour satisfaire son besoin de pouvoir. Peut-être a-t-il une représentation d'être respecté quand il lève les poings. L'école aussi, tout comme Éric, a un besoin de pouvoir, très souvent représenté par le respect. Cependant, l'école, elle, a choisi comme comportement global les règlements (défense de se battre), les conséquences (l'expulsion), la médiation, la consultation, le conseil de coopération, tous des moyens différents de ceux qu'a choisis Éric.

Quand vous demandez à Éric d'évaluer son comportement global en le situant à l'école, il répond selon le système scolaire en opposition avec son propre système.

Vous : «Est-ce acceptable à l'école (auto-évaluation externe)?»

Éric : «Non (système scolaire), mais c'est comme ça qu'on règle les problèmes à la maison et il n'est pas question que je passe pour un téteux en allant me plaindre au surveillant (système personnel).»

Évitez de demander à Éric de choisir entre les deux systèmes. Rappelez-vous qu'il a déjà fait ce choix et que, si ce n'était pas de l'école, selon lui, il n'y aurait pas de problème! Faites une brèche entre les deux représentations spéciales pour permettre à Éric d'évaluer différemment son comportement.

Vous : «Je comprends et reconnais que tu règles bien tes problèmes à la maison en te bagarrant et je suis certain que tu as du succès ainsi. Mais quand tu te bagarres à l'extérieur de chez toi, dans d'autres milieux, t'arrive-t-il d'avoir d'autres formes d'ennuis?»

Éric : «Ben oui. Ici, à l'école, vous me donnez toujours des conséquences, des retenues ou des rencontres avec le directeur. Je déteste ça!»

Vous : «Nous ne te demandons pas d'abandonner la bagarre chez toi, mais peut-être que nous pourrions trouver une façon qui te permettrait d'éviter d'avoir des problèmes à l'école sans avoir l'air d'un téteux, et d'être quand même respecté. Est-ce que ça t'intéresse?»

Éric : «Je suis prêt à essayer.»

Vous : «On n'en demande pas plus!»

Ainsi, Éric commence à percevoir que le système scolaire reconnaît son besoin d'être respecté et cherche avec lui des moyens pouvant l'aider, plutôt que des conséquences l'empêchant d'être respecté.

L'auto-évaluation directionnelle

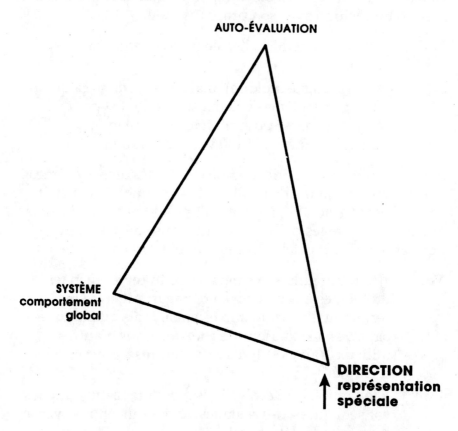

AUTO-ÉVALUATION

SYSTÈME
comportement
global

DIRECTION
représentation
spéciale

La quatrième forme d'auto-évaluation est celle de la représentation spéciale, de la direction : *«Est-ce raisonnablement accessible?»* Cette auto-évaluation requiert beaucoup de doigté. Elle est difficile, laborieuse et très pénible, car elle remet en cause une direction déjà choisie : «*Je veux que ma mère m'aime!*» Il y a parfois, et c'est triste, de ces représentations spéciales du besoin qui ne sont pas accessibles. Ce travail délicat consiste, d'une part, à faire évaluer par notre client (ce client peut fort bien être nous-même!) le niveau d'accessibilité réel de cette représentation : «*Avec ce que tu sais, ce que tu as vécu et ce que tu as déjà essayé, as-tu des chances raisonnables d'obtenir cet amour comme tu le veux?*» D'autre part, nous devons approfondir en parallèle le vouloir de ce client : «*Quel genre de personne serais-tu si tu étais aimé de ta mère?*»

Ainsi, nous pouvons aider notre interlocuteur à réexaminer ce qu'il veut vraiment et à adopter des comportements susceptibles d'être plus satisfaisants pour lui : «*Veux-tu qu'ensemble nous travaillions à faire un petit pas dans la direction du genre de personne que tu veux être?*»

Elle : «Si mon mari acceptait de me traiter différemment, tout serait pour le mieux. Pouvez-vous m'aider à le convaincre de changer?»

Vous : «Imaginons que j'y réussisse et que votre mari ressemble en tous points à ce que vous désirez. J'aimerais savoir comment ce serait pour vous?»

Elle : «Ce serait parfait!»

Vous : «Donnez-moi plus de détails sur ce que vous y gagneriez personnellement.»

Elle : «Je me sentirais aimée, importante... Je serais convaincue que je suis plus qu'un grain de sable, plus qu'une vulgaire poussière qu'il faut bien supporter.»

Vous : «Je comprends mieux l'importance d'un mari différent. Si celui-ci ne change pas, désirez-vous toujours vous sentir aimée, importante, plus qu'un grain de sable?»

Elle : «Bien sûr!»

Vous : «Vous avez essayé bien des choses pour que votre mari modifie son comportement envers vous, n'est-ce pas?»

Elle : «Oui.»

Vous : «Vous avez beaucoup d'expérience auprès de celui-ci. Avec tout ce que vous avez essayé, avec la connaissance approfondie que vous avez de votre mari, croyez-vous que celui-ci puisse vraiment changer (auto-évaluation de direction)?»

Elle : «Non, mais j'aimerais vraiment ça.»

Vous : «C'est légitime. Cependant, avez-vous réussi à le faire changer?»

Elle : «Non. Honnêtement, je doute que qui que ce soit y réussisse.»

Vous : «Mais vous désirez toujours être aimée, être importante?»

Elle : «Oui, j'ai peut-être à envisager que ce n'est pas lui qui me traitera de la sorte, peu importe ce que je vais essayer!»

Je dois avouer que cette auto-évaluation demande beaucoup de courage de la part de l'intervenant, car elle est très douloureuse pour le client. Nous avons tendance à éviter cette question, sachant la douleur qu'elle engendrera. Cependant, l'expérience m'a appris qu'elle était nécessaire si le client doit faire un deuil de l'accessibilité de certains désirs. J'ai souvenir de Kevin, petit bonhomme de treize ans à qui j'avais choisi de demander une auto-évaluation de direction. Kevin attendait depuis cinq ans que sa mère le reprenne. Chaque année amenait une déception plus cruelle que celle de l'année précédente. Cependant, Kevin se cramponnait à son espoir, bien légitime, je dois l'avouer. Kevin ne réussissait pas à s'investir ou à s'intégrer dans une nouvelle famille d'accueil, et il ne le voulait pas non plus, convaincu que sa mère allait le reprendre. J'ai pris la main de Kevin et je lui ai demandé tout doucement :

Moi : «Kevin, tu la connais bien ta mère?»

Kevin : «Ah! oui.»

Moi : «Et tu l'aimes beaucoup, n'est-ce pas?»

Kevin : «Oui.»

Moi : «Je vais te demander quelque chose de bien difficile, et je crois que tu n'aimeras pas ça beaucoup. Tu n'es pas obligé de me répondre, mais j'aimerais que tu y réfléchisses, d'accord?»

Kevin : «Oui.»

Moi : «Cela fait plusieurs années que ta mère dit qu'elle va te reprendre. Crois-tu sincèrement dans ton coeur qu'elle le fera vraiment?»

J'ai vu à ce moment-là de grosses larmes rouler sur les joues de Kevin. Je savais que l'auto-évaluation prenait place douloureusement.

Kevin : «Je l'aime, c'est ma mère.»

Moi : «Elle sera toujours ta mère, et tu l'aimeras toujours. Même si tu l'aimes et qu'elle t'aime, crois-tu vraiment qu'elle te reprendra?»

Kevin : «Non.»

Kevin ne m'a pas particulièrement aimée cette journée-là. En fait, je crois que mon courage consistait à accepter de poser cette douloureuse question, sachant que je risquais de le blesser, ou tout au moins de mettre en péril notre relation. C'était cependant un mal nécessaire pour son engagement dans l'avenir. Dans les semaines qui suivirent, Kevin a accepté de s'engager davantage dans sa nouvelle famille d'accueil, tout en chérissant sa mère. Je crois que l'auto-évaluation directionnelle permet le deuil de certaines représentations spéciales tout en préservant l'essence du besoin.

L'auto-évaluation d'engagement

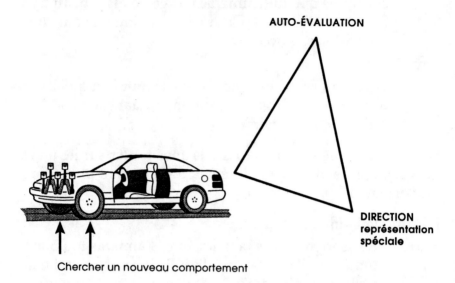

AUTO-ÉVALUATION

DIRECTION
représentation
spéciale

Chercher un nouveau comportement

La cinquième forme d'auto-évaluation est l'auto-évaluation d'engagement, la suite logique de toutes les autres formes d'auto-évaluation. Elle est généralement amorcée dans le questionnement précédent : «*Veux-tu qu'ensemble nous travaillions à trouver une autre façon d'obtenir ce que tu veux vraiment?*», «*Désires-tu trouver un nouveau comportement ou désires-tu conserver ton comportement actuel?*» Cette auto-évaluation est essentielle pour amener l'individu à se responsabiliser dans le changement, ou même dans le statu quo. Reconnaître que ce que l'on a essayé n'a pas fonctionné est une chose. S'engager à adopter un nouveau comportement en est une autre.

Vous : «Ainsi, tu aimerais obtenir de meilleurs résultats scolaires?»

Client : «Oui.»

Vous : «Est-ce que tu es prêt à travailler plus longtemps ou plus fort?»

Client : «Oui, oui.»

Vous : «Sur une échelle de 1 à 10, 1 étant le plus petit changement et 10 représentant un changement complet, quel serait le chiffre qui correspondrait le mieux au changement que tu es prêt à faire?»

Vous serez étonné d'apprendre que le niveau d'engagement souhaité se situait à 2! Et moi qui croyais que, parce qu'on avait enfin évalué notre comportement inadéquat, nous étions prêt à changer à cent pour cent! Quelle erreur de jugement de ma part! C'était oublier la base même de la TSD, à savoir que tout comportement a sa raison d'être et que de l'abandonner au profit d'un autre n'est pas chose facile, ni toujours réalisable.

J'ai beaucoup appris au cours de cette auto-évaluation, et particulièrement à respecter mon interlocuteur. Je préfère élaborer avec celui-ci un plan de niveau 2 qui a des chances raisonnables de réussite, plutôt qu'un plan de niveau 8 voué à l'échec. Un niveau 2 réussi est toujours supérieur à un niveau 8 manqué! Ainsi, mes propres attentes diminuent, et le respect du rythme de l'autre s'accroît.

J'ai aussi la conviction profonde, quand j'entends un 2 ou un 3, qu'il y a un deuxième message dans la réponse de mon interlocuteur, et ce message représente souvent une représentation spéciale en conflit avec la première. Nathalie me disait récemment qu'elle n'était pas très satisfaite de ses résultats scolaires et qu'elle évaluait devoir travailler plus fort pour terminer son année avec brio. Quand je lui ai demandé de déterminer son niveau d'engagement dans le changement, elle m'a répondu un 2 ou un 3, peut-être. Il aurait été facile d'accabler Nathalie de sermons et de longues dissertations sur son engagement. J'ai préféré la questionner sur une représentation potentiellement en conflit avec sa représentation de réussite scolaire.

Moi : «Si tu étudiais plus longtemps qu'un niveau 2 ou 3, peut-être perdrais-tu quelque chose à le faire?»

Nathalie : «Ben, c'est que je n'aurais plus le temps de jouer de la flûte traversière et de sortir avec mes amies.»

Moi :	«C'est important pour toi?»
Nathalie :	«Et comment, j'ai plus de succès à jouer de la flûte qu'à faire des mathématiques, et mes amies me permettent de me détendre.»
Moi :	«Il est donc très important, quand nous planifierons tes soirées d'études, de s'assurer, toi et moi, de ne pas oublier d'aménager du temps pour la flûte et tes amies.»

En fait, s'engager dans un processus de changement scolaire, pour Nathalie, signifiait une perte à un autre niveau, soit celui de l'amitié (appartenance) et d'une compétence artistique (pouvoir). Plusieurs d'entre nous préfèrent miser sur ce qui est acquis plutôt que de risquer de perdre ces acquis et de ne pas gagner nécessairement ce qu'ils recherchent. Nathalie, elle, préférait maintenir ses acquis, la flûte et ses amies, alors qu'étudier plus sérieusement ne lui garantissait pas nécessairement un meilleur succès.

Dans un tel contexte, il m'est arrivé d'entendre une jeune femme me dire qu'elle savait ce qu'elle voulait, qu'elle reconnaissait son comportement, et pourtant que le fait de changer de comportement était plus douloureux pour elle que de le conserver. Par cette auto-évaluation, cette jeune femme devenait active dans ce qui lui arrivait plutôt que demeurer victime de la situation. Plusieurs d'entre vous savent que, selon Santé Canada, la cigarette est nocive pour la santé. Et plusieurs ont déjà auto-évalué qu'il serait préférable de cesser de fumer. Pourtant, pour diverses raisons, cesser de fumer n'est pas la meilleure solution. Car, malgré la crainte d'un problème pulmonaire éventuel, fumer apporte dans l'immédiat une satisfaction certaine. Cesser de fumer n'implique pas nécessairement une longue vie en santé. Savoir que, dans une certaine mesure, on a choisi non pas ce qui nous arrive, mais comment nous décidons d'y faire face est une position beaucoup plus satisfaisante et puissante que de subir cette même situation. Nous avons, en nous, le choix, les moyens, les outils pour nous en sortir éventuellement.

L'auto-évaluation d'apprentissage

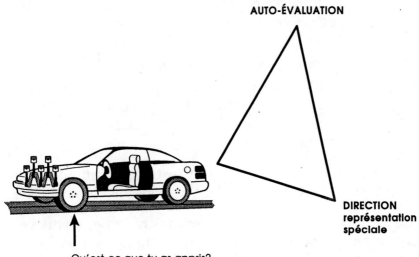

AUTO-ÉVALUATION

DIRECTION
représentation
spéciale

Qu'est-ce que tu as appris?

La sixième forme d'auto-évaluation est relativement nouvelle pour moi. C'est mon travail dans le milieu scolaire qui m'y a éveillée. Cette fois-ci, la question demeure ouverte et favorise l'apprentissage : «*Qu'est-ce que tu as appris?*», «*De quoi es-tu fier dans ton travail?*», «*Qu'est-ce qui a été différent cette fois-ci?*», «*Si tu avais à recommencer, que ferais-tu différemment?*»

Jonathan revient de l'école le sourire aux lèvres, fier de lui. Il annonce à ses parents qu'il a obtenu un B– dans son oral de français. Chacun le félicite, car pour Jonathan l'oral est un obstacle à surmonter.

Maman : «Bravo, Jonathan, je suis très contente.»

Lui : «Merci.»

Utiliser l'auto-évaluation d'apprentissage permet de faire un pas de plus et offre à la personne la possibilité de s'approprier sa démarche. Le bon ou le mauvais résultat n'est pas le fruit du hasard.

Maman : «Comment as-tu réussi cet exploit?»

Lui : «Ben, je sais pas.»

Maman : «As-tu fait quelque chose de différent cette-fois-ci?»

Lui : «La seule chose que j'ai faite a été de préparer une introduction et une conclusion. J'ai rempli le milieu!»

Maman : «Qu'est-ce que cela t'a appris?»

Lui : «C'est la conclusion qui m'a permis de voir que j'avais complètement oublié quelque chose dans ma présentation et je me suis rattrapé dans la conclusion.»

L'avantage de cette auto-évaluation est que Jonathan se félicite lui-même et reconnaît qu'il est responsable de sa réussite.

Cette forme d'auto-évaluation n'est pas réservée exclusivement au monde scolaire; elle s'adapte à toutes sortes de situation. J'ai moi-même utilisé l'auto-évaluation d'apprentissage tout au long de la rédaction de cet ouvrage. Par exemple, j'ai expérimenté l'intérêt d'avoir un premier plan de ce que j'allais dire. J'ai vu qu'il me fallait déterminer le ton que je voulais donner à cet échange. Ma flexibilité m'a été fort utile, car j'ai travaillé à différents niveaux de connaissance en même temps. Le plus difficile a été de me discipliner et de faire face à la peur de la page blanche. J'ai cependant apprécié ma paresse légendaire à certains moments, évitant ainsi à mes proches des sautes d'humeur intempestives! À la réflexion, toutefois, je comprends que ma flexibilité est une approche à deux tranchants. Si j'avais à écrire un autre livre, je crois bien que j'aurais avantage à faire un plan plus précis au départ, ce qui m'aurait fait économiser du temps.

D'autres questions célèbres

Comme au chapitre précédent, je vous propose une liste de questions complémentaires que vous serez à même de compléter au fur et à mesure de votre pratique. Les questions sont présentées cette fois-ci en regard de la forme d'auto-évaluation.

Question	Forme d'auto-évaluation
Ce que tu as choisi de faire te permet-il d'atteindre ce que tu veux?	Explicite
Es-tu satisfait?	Générale
Est-ce le résultat que tu voulais obtenir?	Explicite
As-tu des chances raisonnables d'obtenir ce que tu veux en continuant ainsi?	Explicite
Est-ce la direction que tu as choisie?	Directionnelle ou explicite
Qu'as-tu appris en vivant cette situation?	D'apprentissage
Est-ce acceptable pour toi?	Générale
As-tu le goût de faire quelque chose pour améliorer la situation?	D'engagement
Est-ce que tu voudrais qu'ensemble nous regardions de nouvelles façons de parler à ton professeur?	D'engagement
Cela a-t-il vraiment changé des choses pour toi?	Explicite ou générale
En général, est-ce que cela fonctionne comme tu veux?	Générale
Si tu continues d'attendre que cette personne change, risques-tu d'attendre longtemps? Es-tu prêt à attendre aussi longtemps?	Explicite et d'engagement
Te sens-tu prêt à faire des choses différentes de celles que tu as faites jusqu'à maintenant?	D'engagement
Est-ce important pour toi?	Générale ou directionnelle
Si tu continues avec les mêmes moyens, cela va-t-il apporter un changement?	Explicite

Conclusion

Mon expérience à titre d'éducatrice, d'intervenante, de formatrice, de superviseure, d'instructeur, de mère et de conjointe m'a amenée à trouver à ce jour les formes d'auto-évaluation que je viens de vous présenter. Cette nomenclature ne se veut pas exhaustive, et il est fort possible que vous arriviez vous-même à trouver d'autres formes d'auto-évaluation. J'ajouterai également, pour le bien de la démonstration, que chacun des échanges qui ont surgi au cours de ce chapitre a pu sembler magique! Il n'en est rien, et vous le savez fort bien. Il faut parfois revenir plus d'une fois au questionnement, et plus d'une fois il faut jouer avec les mots, les expressions, les intonations et les silences pour obtenir une réponse et esquisser le début d'un mieux-être.

La meilleure évaluation qui puisse exister est celle que nous faisons de nous, par nous. Il est possible que votre interlocuteur, qu'il s'agisse d'un client, d'un conjoint, d'un enfant ou d'un collègue, ne vous donne pas de réponse immédiate. Ne vous inquiétez pas, il quittera la pièce avec votre question en tête!

V

L'AMBIANCE

Introduction

Au début de ma carrière, les clés de l'intervention, c'est-à-dire la recherche de la représentation spéciale ou de la direction, l'identification du comportement global ou du système et l'auto-évaluation, étaient pour moi la procédure particulière à la TSD. Ces clés représentaient le *savoir-faire*. J'ai donc mis l'accent de façon intensive, lors de mes sessions de formation, sur les jeux de rôles, les mises en situation et les histoires de cas, en fonction de l'application de ces principes.

Je me suis retrouvée quotidiennement en présence d'intervenants ou de personnes parfaitement capables d'appliquer ces techniques; j'avais sous les yeux des personnes qui posaient, avec une étonnante maîtrise, les questions célèbres : «*Que veux-tu?*», «*Que fais-tu?*», «*Est-ce que cela fonctionne?*», et qui pourtant n'obtenaient rien de leurs clients, ou bien très peu. Les réponses venaient du bout des lèvres, sans grande conviction, et laissaient deviner que le client voulait en finir au plus vite avec l'intervenant.

Le résultat finissait par être décevant. Nous n'avions finalement pas la bonne représentation spéciale, les questions concernant le comportement global n'étaient pas assez précises, l'auto-évaluation n'était pas suffisamment solide. Je me rendais compte que, même quand nous appliquions tous les ingrédients de la recette, la démarche n'était valable qu'en partie seulement.

À l'inverse, j'ai vu et entendu nombre d'intervenants oublier systématiquement les questions et arriver tout de même à faire un bon bout de chemin avec leur client. Celui-ci était prêt à s'engager sur la voie du changement, sans pour autant avoir évalué son comportement, sans avoir pris conscience de la direction de sa vie, grâce au lien qu'il avait pu établir avec son intervenant. Inutile d'ajouter que l'intervenant avait dû utiliser toute son énergie pour convaincre son client de la bonne marche à suivre et qu'il terminait l'entrevue littéralement épuisé. Et moi qui lui promettais que l'approche visait justement à réduire la dépense d'énergie de l'intervenant!

Nous savons tous qu'il faut plus qu'une bonne recette pour constituer un bon repas. La présentation et la fraîcheur des aliments, le degré de cuisson, les chandelles, la musique... bref, l'atmosphère de la rencontre compte tout autant que le plat servi. Qui plus est, un bon climat contribue à rehausser le goût des aliments et à en exalter les saveurs. Tout cela constitue l'ambiance.

Et c'est sur l'ambiance que reposent les clés de l'intervention; il est fondamental de le comprendre pour arriver à une véritable intégration de l'approche. Le triangle de l'intervention se transforme en pyramide, créant ainsi une 3e dimension, la profondeur de la relation avec l'autre.

Le concept d'ambiance

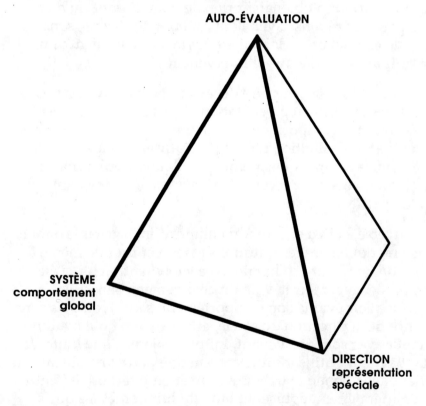

De toutes les habiletés que requiert la pratique de la relation d'aide, la capacité de créer un lien avec son client est celle qui demande le plus d'investissement de la part de l'aidant. Celui-ci doit faire appel à toutes ses ressources personnelles, incluant celles qu'il utilise dans sa vie quotidienne. Par exemple, l'intervenant qui a mis en pratique dans sa vie personnelle certains moyens pour créer des liens avec son entourage, comme être à l'écoute, savoir faire rire, proposer ou partager des activités, peut sans doute réutiliser ces mêmes méthodes pour créer un lien avec ses interlocuteurs.

Ce lien vient du coeur! L'intervenant travaille à ce que le client le perçoive comme une personne pouvant l'aider à satisfaire ses besoins d'appartenance, de pouvoir, de plaisir, de liberté et de survie. Par ses actions, ses paroles ou ses attitudes, il cherche à identifier les besoins du client dans l'immédiat.

L'exemple du Dr Glasser

J'ai rencontré le Dr William Glasser pour la première fois en novembre 1978 à Los Angeles. J'étais alors tout yeux, tout oreilles, m'abreuvant de son enseignement. Pourtant, j'ai été horrifiée par son attitude. Pendant près de deux heures, en effet, il nous avait parlé des liens chaleureux à établir avec le client, du climat de confiance à créer, en insistant sur le fait que cette étape était importante, voire essentielle à la réussite de la relation d'aide. Et voilà qu'en entrevue, en jeux de rôles, j'avais devant moi un homme qui ne regardait pratiquement jamais son client, qui se grattait la tête en semblant s'ennuyer et qui se permettait d'interrompre les plaintes de son interlocuteur. Tout ce qu'il faisait était à mon avis totalement contraire à ce que doit être une démonstration chaleureuse d'intérêt envers le client.

J'ai alors pris le parti de le confronter à son inconséquence à la première occasion. J'ai eu rapidement cette «chance», puisque l'on me proposa de jouer le rôle d'une jeune délinquante révoltée. C'était un rôle parfaitement adapté à la situation du moment. J'avais eu le temps de me préparer, mon scénario était au point, ma colère, très grande, et j'étais là, n'attendant qu'à laisser exploser ma frustration. Surtout, j'étais décidée à confondre ce personnage malhonnête.

Quelle ne fut pas ma surprise de l'entendre s'informer de mon confort et même de me suggérer de changer de chaise. Il a répondu honnêtement à mes questions, a reconnu mes ennuis et souligné l'efficacité de mes stratégies. Quelques minutes plus tard, j'avais complètement oublié le mandat que je m'étais donné; il m'avait eue... C'est donc avec perplexité que j'ai regagné ma place pour réfléchir à la manière dont cet homme, le maître, savait «créer des liens».

En fait, qu'avait-il fait de si extraordinaire? Rien, bien entendu, sinon qu'il avait su répondre à mon besoin. J'étais à Los Angeles, dans une situation d'élève désireuse d'apprendre. Cependant, confrontée à quelqu'un qui semblait très sûr de lui, je souffrais de me sentir incompétente. La direction générale de ma représentation spéciale était un besoin de pouvoir. Mon comportement global de confrontation et de colère envers le Dr Glasser cherchait à répondre à ce besoin. Plutôt que de me confronter, de chercher à m'amadouer ou de tenter de prouver que j'avais tort, le Dr Glasser s'est contenté de répondre à ce besoin. S'informer de mon confort me procurait un sentiment d'importance à ses yeux et répondait à mon besoin de pouvoir. En faisant appel à mon pouvoir, il manifestait une honnêteté qui me satisfaisait. Le fait qu'il acquiesce à mes propos et qu'il reconnaisse mes stratégies me donnait raison et faisait appel à mon intelligence (réponse au besoin de pouvoir). Au fond, c'est ce que je voulais, car il est bien difficile de lutter contre quelqu'un qui vous accompagne dans votre cheminement. Je ne souhaitais pas ramer à contresens avec lui, c'eût été contraire à ma représentation spéciale.

En fait, grâce à l'ambiance, l'intervenant devient une figure significative pour son client. Non seulement peut-il le guider dans la recherche de la satisfaction de ses besoins, mais il est, lui aussi, un acteur important dans la satisfaction des besoins du client à l'intérieur de sa relation avec celui-ci.

Les besoins du client

J'ai eu l'occasion de rencontrer nombre d'intervenants qui, de par leurs actions, leurs paroles ou leurs attitudes, ont su répondre au besoin immédiat du client. Je me souviens de Gilles, homme de liberté, qui, affalé sur sa chaise, loin du client, le regard au plafond, répondait ainsi au besoin de liberté du toxicomane assis en face de lui. Mais, attention! Il lui fallait aussi être aux aguets pour déceler toute manifestation d'un autre besoin à satisfaire. Ainsi, Gilles savait détecter, par exemple, si ce même client avait besoin de chaleur humaine, d'un contact physique comme une solide poignée de main (appartenance) ou d'un regard d'approbation (pouvoir). L'intervenant doit faire confiance à son instinct. Même si le client n'a pas vraiment besoin de liberté et que l'intervenant semble s'occuper en priorité de ce besoin, il n'existe, à mon point de vue, aucun risque pour le client de succomber à une surdose de besoins trop bien satisfaits. Cependant, le client peut «mourir» d'un surdosage de besoins non satisfaits.

D'un côté, l'intervenant doit être à l'écoute des besoins non satisfaits de son client; d'un autre côté, il doit être sensible à l'identification de ses propres signaux d'insatisfaction. Rappelons-nous que l'assise même de l'approche que je vous propose repose sur le postulat que chacun d'entre nous se comporte de manière à satisfaire un vouloir sous-jacent à un besoin.

Ainsi, même si je désire aider et supporter mon enfant à satisfaire ses besoins, j'ai également la responsabilité et l'obligation de satisfaire les miens. En effet, je suis la seule personne responsable de la satisfaction de mes besoins.

Les besoins de l'intervenant

La création d'un lien personnel sincère suppose que l'intervenant y trouve aussi son compte. Il ne peut y avoir de véritable lien de confiance quand l'intervenant se sent en déséquilibre dans la satisfaction de ses propres besoins. Je pense particulièrement ici à la relation enseignants et adolescents. Nous entendons les enseignants dénoncer l'absence de reconnaissance à l'égard de leur fonction (perte de pouvoir) de la part de leurs élèves, des parents et du système scolaire en général. Au même moment, les adolescents expérimentent une difficulté semblable au moment où ils sont en quête d'une nouvelle forme de pouvoir. Dans ces conditions, il est extrêmement difficile pour l'élève de percevoir l'enseignant comme un allié dans sa recherche de pouvoir, puisque tous les deux vivent une difficulté par rapport au pouvoir.

Imaginez le scénario suivant. Un enseignant qui éprouve de la difficulté à se sentir important, valorisé et apprécié en classe et dans le système scolaire entre dans la salle de classe et demande aux élèves d'accomplir une tâche donnée. L'élève qui est aux prises avec des difficultés équivalentes choisit de dire non à la demande de l'enseignant. Se produit alors une cascade de comportements.

L'enseignant : «Fais ce que je te demande de faire.»

L'élève : «Non, c'est plate et sans intérêt.»

L'enseignant : «Je n'ai pas l'habitude de vous demander de faire des choses sans intérêt.»

L'élève : «Ça, c'est vous qui le dites!»

L'enseignant : «Tu es impoli!»

L'élève : «Non, je dis la vérité.»

L'enseignant : « Je vais être obligé de te demander de sortir.»

L'élève : «Vous pouvez toujours me le demander!»

L'enseignant : «Sors de ma classe.»

L'élève : «Essayez de me faire sortir, si vous en êtes capable!»

J'en passe, et des meilleures! Il n'existe pas de remèdes miracles, ni d'interventions miraculeuses dans la situation précédemment décrite. Si l'élève gagne du pouvoir dans l'immédiat, il risque fort d'en perdre à long terme, et il en est de même pour l'enseignant. Peu importe celui qui gagnera dans cette altercation, il y perdra aussi quelques plumes. L'enseignant a immédiatement perçu dans l'attitude de l'élève une atteinte à son pouvoir déjà blessé, et il a probablement raison. La frustration n'en a été que plus douloureuse.

La première démarche à entreprendre dans une telle situation est de prendre soin de ce besoin insatisfait. Non, bien sûr, pas au moment de la crise, mais avant la crise, après la crise, et en prévention d'autres crises. Ce n'est ni la première ni la dernière fois que cet enseignant aura à vivre pareille situation. Aussi aurait-il avantage à découvrir ce qui le blesse dans le comportement de l'élève en se posant des questions comme les suivantes :

- Qu'est-ce qui me dérange?

- Qu'est-ce que je perds par ce comportement de l'élève?

- Si cette situation était résolue, lequel de mes besoins serait satisfait?

- Si cette situation n'existait pas, qu'est-ce que cela me permettrait d'avoir, de faire ou d'être?

Bien sûr, vous reconnaissez les questions; ce sont des questions de représentation ou de direction.

La deuxième démarche consiste à reconnaître le besoin sous-jacent. Dans l'exemple qui précède, c'est le besoin de pouvoir qui nous préoccupe!

Enfin, l'enseignant peut choisir de se comporter de façon à satisfaire ce besoin avant même d'entrer en classe. Remarquez, j'ai parlé de besoin et non pas de vouloir. L'erreur serait d'essayer de régler le vouloir («*Je veux que les élèves fassent ce que je leur demande de faire!*»), ce qui paraît impossible dans l'immédiat. L'enseignant pourrait également choisir d'examiner son discours intérieur et évaluer si celui-ci lui donne du pouvoir. Trop souvent, nous alimentons notre sentiment de perte par un discours en accord avec cette perte. Par exemple, un discours du type «*Je dois encore enseigner dans cette m... classe*» signifie que l'enseignant perd de sa liberté par l'emploi du «*je dois*». Avec un discours mental comme : «*J'espère qu'un tel sera absent aujourd'hui, je suis incapable de le supporter*», il s'enfonce dans ses idées noires en reconnaissant que cet élève a du pouvoir sur lui.

Cet enseignant aurait intérêt à remplacer ces phrases par celles-ci : «*C'est un défi que d'enseigner dans cette classe*», ou encore : «*Si un tel est là, j'en profiterai pour le surprendre!*» C'est de la sémantique, me direz-vous, cela ne change rien à la situation, et vous avez raison. Mais, en fait, qu'est-ce qu'un comportement global?

L'émotion qui habite l'enseignant au moment de pénétrer dans la classe est le signe qu'il est en déséquilibre entre ce qu'il veut et ce qu'il perçoit. Mais au-delà de cette émotion, et partie intégrante du comportement, la pensée nourrit également cette émotion et provoque parfois, pour ne pas dire souvent, un plus grand déséquilibre.

Une autre stratégie consiste à choisir de passer à l'action et de faire quelque chose qui procure immédiatement du pouvoir, soit du pouvoir sur le corps (le vôtre, bien entendu), du pouvoir sur les objets, ou encore du pouvoir dans votre relation avec les autres et avec vous-même. Par exemple, exercer du pouvoir sur le corps pourrait vouloir dire : marcher, monter ou descendre un escalier, se brosser les dents, retoucher son maquillage, manger. Exercer du pouvoir sur les objets pourrait signifier : ranger son bureau, faire du ménage, manipuler des objets, utiliser de nouveaux crayons. Quant au pouvoir sur soi ou sur les autres, il pourrait s'exprimer par un téléphone à un ami, une discussion avec un autre enseignant, un coup de main à un collègue ou une demande d'aide à une personne de confiance.

L'écoute des besoins au sein de la relation

Il y a quelques années, j'ai été embauchée pour enseigner ces principes dans une polyvalente de Trois-Rivières. Je m'y rendais tous les mardis soir et je rencontrais les enseignants immédiatement après la classe, pour une période qui s'échelonnait de 16 h à 22 h. Le troisième mardi, la vingtaine d'enseignants s'est présentée en classe les yeux fatigués, le visage pâle et les traits tirés, tous se disant bien incapables de suivre une quelconque formation. Je leur ai demandé alors d'identifier rapidement le besoin qui avait été le plus malmené pendant la journée, puis de s'assurer d'y répondre avant la fin de la période. J'ai ensuite entrepris mon cours comme d'habitude. Au bout de quelques minutes, j'ai vu quelques enseignants se lever un peu timidement, quitter la salle pour aller fumer une cigarette dans le couloir, puis revenir. D'autres ont profité de la pause-santé pour aller marcher à l'extérieur. Certains ont téléphoné à la maison. Quelques-uns se sont raconté des blagues... Avant de partir, je leur ai demandé comment s'était passée la soirée, et j'ai eu droit à un éclat de rire général. Presque tous m'ont dit être plus en forme qu'à leur arrivée à 16 h. Plusieurs m'ont remerciée d'avoir su rendre le cours aussi intéressant. Cela a bien sûr flatté mon ego (et j'adore cela), mais, à mon avis, ce n'est pas moi qui suis responsable de leur regain d'énergie. De fait, je leur ai simplement offert la possibilité de répondre à leur besoin, sachant qu'une fois ce besoin satisfait ils n'auraient plus besoin d'y répondre de nouveau du reste de la soirée (du moins, sûrement pas de façon aussi urgente).

Plus l'enseignant de l'exemple précédent rééquilibrera son système personnel, moins la perception du comportement de l'élève lui sera douloureuse. Il y a même de fortes chances pour que cet enseignant réponde au comportement négatif de l'élève par un haussement d'épaules et lui dise : «*Bien, quand tu seras prêt à travailler, dis-le-moi, ça me fera plaisir de t'aider.*» En agissant de la sorte, l'enseignant redonne un peu de pouvoir à l'élève, il lui donne le choix (liberté); il lui accorde le droit de parole en lui disant «dis-le-moi» (pouvoir). Bien plus, il lui signifie qu'il est important, puisque ça lui fera plaisir de l'aider (pouvoir). De ce fait, on évite que s'enclenche une série de comportements perturbateurs dans la classe. L'élève n'a plus de raisons de chercher le pouvoir puisqu'il en a déjà eu, et il perçoit l'enseignant différemment.

Attention! Il ne s'agit pas de laisser les situations dégénérer, bien au contraire. Cependant, quelques minutes plus tard le professeur peut toujours refaire une intervention auprès de l'élève, alors plus en équilibre! Croyez-moi, l'élève sera plus réceptif. Jusque-là, en effet, toutes ses énergies étaient dirigées vers l'obtention du pouvoir. Dans la mesure où son besoin est au moins partiellement satisfait, il devient moins criant, donc moins urgent à combler, et l'élève dispose d'une énergie nouvelle.

J'ai choisi le métier de relation d'aide parce qu'il comblait mon besoin de pouvoir. Malheureusement, quand mes clients avaient le même besoin en souffrance, nous avons mutuellement assisté à plusieurs feux d'artifice, puisque chacun tentait de se rééquilibrer du mieux qu'il pouvait. Au fil des ans, j'ai appris plusieurs autres façons de satisfaire mon besoin de pouvoir, ne laissant ainsi que bien peu de prise au déséquilibre. Et vous, avez-vous découvert à quel besoin répond votre choix professionnel?

Tout au long des années passées à me promener d'établissement en établissement, j'ai rencontré des centaines d'intervenants qui, tout comme moi, répondent chacun à leur manière à leurs propres besoins. Ainsi, Gilles tente de répondre à son besoin de liberté et éprouve beaucoup de difficultés lorsqu'il perçoit son client de façon étouffante! Quant à Alfred, il cherche à répondre à son besoin d'appartenance et il se sent mal lorsqu'il perçoit que son client ne l'aime pas!

Notre désir d'aider l'autre répond, chez beaucoup d'entre nous, à un besoin de pouvoir, mais il faut plus à l'autre que notre compétence. Le client, en effet, a besoin de créer un lien d'appartenance, de plaisir, de liberté et de sécurité avec nous. Bien sûr, il doit nous percevoir comme une personne en mesure de l'aider à satisfaire ses besoins à lui, mais il doit aussi pouvoir voir que nous sommes également capables de respecter nos propres besoins et ce, même pendant une intervention. C'est sur cette base que le lien se crée entre l'aidant et l'aidé. En fait, l'intervenant doit devenir une figure suffisamment significative pour accéder au monde-qualité (l'ensemble des représentations spéciales) de son client. Non seulement peut-il le guider dans la recherche de la satisfaction de ses besoins, mais il devient aussi un modèle à suivre, une personne suffisamment satisfaisante pour que le client cherche à diriger ses choix de comporte-ments d'après ceux de cette même personne.

À mes débuts, j'ai présumé trop longtemps qu'on avait com-pris ce que voulait dire l'expression «créer un lien» en insis-tant sur des points comme l'honnêteté, le respect, la clarification des rôles, la courtoisie envers le client. La pra-tique voulait que, après la rituelle poignée de main et les quelques questions banales d'information sur la santé et la famille, les intervenants s'informent rapidement de la raison qui pousse le client à consulter et s'attaquent au véritable problème en utilisant les questions célèbres! Avec le temps, j'ai appris que le lien s'établit de manière beaucoup plus réelle quand on met l'accent sur le client, sur ses besoins et non sur ses problèmes.

Mieux que la coercition : la motivation interne

J'aime bien considérer l'ambiance sous un angle nouveau. Cette nouvelle vision, je l'emprunte aux travaux de W. Edward Deming[6]. Cet auteur affirme qu'il faut tout mettre en oeuvre pour éliminer la crainte chez l'employé. Le Dr William Glasser[7] traduit, quant à lui, ce concept par l'élimination de la coercition chez la personne aidée, qu'il s'agisse d'un client, d'un enfant, d'un conjoint, d'un employé ou d'un élève. Simple à dire, il suffisait d'y penser, mais pas facile à faire, me direz-vous!

Si nous éliminons la punition ou la coercition, que doit-on faire? À partir des principes énoncés depuis le début de ce livre, vous avez compris que l'on n'abandonne pas un comportement, mais qu'on le remplace par un autre qui doit être au moins aussi satisfaisant que l'ancien.

En fait, la punition ou la coercition donne l'illusion que nous pouvons contrôler les comportements des personnes qui nous entourent. Il s'agit bien d'une illusion parce que, sur la base des concepts de qualité et de la TSD, il n'existe pas de motivation externe autre que celle que nous acceptons individuellement.

Thomas Gordon affirme, dans *Comment apprendre l'autodiscipline aux enfants*[8], que la discipline imposée par les adultes peut engendrer des enfants obéissants, craintifs et obséquieux, mais qu'on ne peut pas donner aux enfants une auto-discipline. Bien que cette assertion puisse être valable dans certains cas, nous sommes tous au fait qu'il existe des familles, des institutions et des écoles où la discipline est extrêmement rigoureuse et où, pourtant, les enfants ou les clients ne se plaignent pas de l'austérité d'un tel encadrement. Ce n'est pas seulement la discipline imposée par les adultes qui peut inciter ou non l'enfant à avoir des comportements acceptables. C'est le contexte dans lequel la discipline s'exerce et l'acceptation de cette discipline par celui qui en est l'objet. La perception que l'on a de la discipline est la réalité la plus importante. Ainsi, comme enfant, je peux être punie et reconnaître honnêtement que cette punition est juste et bonne pour moi. Dans ce cas, cette punition me permettra d'apprendre probablement à adopter ou à choisir un comportement plus satisfaisant à l'avenir. Je peux aussi être punie et juger que cette punition est blessante, humiliante, ou même angoissante. Mes énergies seront alors déployées à panser mes blessures, à me venger ou à me sécuriser. Dans un pareil contexte, ces énergies ne seront sûrement pas employées à auto-évaluer mon comportement.

Le but premier de la coercition est de mettre un terme au comportement non désiré de toute personne gravitant autour de soi. Ainsi, l'enfant qui est puni est censé mettre fin au comportement indésirable et le remplacer par un autre jugé plus adéquat par ses parents. Que se passe-t-il en réalité? D'une part, la punition va à l'encontre de la satisfaction des besoins fondamentaux de l'individu. Ainsi, dans un contexte de punition, la personne punie ne se sent pas en sécurité, elle n'a pas de pouvoir puisqu'elle subit, se voit imposer la punition. Elle n'a certainement pas de plaisir ni de liberté. L'appartenance ou l'acceptation inconditionnelle est parfois absente. D'autre part, l'énergie dépensée par l'individu puni est orientée vers la satisfaction de ses mêmes besoins non satisfaits. Il pourra s'agir de la recherche de la sécurité, ou même de la survie, ou bien de la recherche du pouvoir sur le mode : «*Non, je ne plierai pas les genoux devant toi, je vais te punir à mon tour!*» La recherche de l'appartenance pourra s'exprimer par des affirmations comme : «*Je n'ai pas besoin de ton amour, je vais m'en trouver ailleurs ou avec quelqu'un d'autre!*» Celui qui recherche la liberté pensera ou dira : «*Je vais recommencer encore, mais cette fois-là tu ne seras pas là pour me prendre!*», alors que celui qui recherche le plaisir se dira : «*Ça ne me dérange pas trop d'être puni, parce que j'ai eu ben du "fun!"*»

Ce qui est dommage, dans ces circonstances, c'est qu'en agissant de la sorte la personne punie ne cherche pas à réparer les torts qui ont pu être faits ou à trouver de nouvelles solutions pour améliorer la situation. Elle ne cherche qu'à se sentir mieux dans une situation qu'elle juge inconfortable.

Nous avons tous vécu des situations où nous avons été punis, et la punition ne nous est pas apparue toujours de façon évidente. Bien sûr, les enfants sont punis par le retrait de privilèges, la culpabilité, l'autorité parfois abusive des parents. Comme adultes, nous le sommes aussi lorsque nous nous sentons évalués, jugés, critiqués, blâmés, culpabilisés, ridiculisés, victimes de sarcasmes, menacés ou ignorés intentionnellement.

Nous n'avons alors qu'une idée en tête, fuir le plus rapidement possible ces situations indésirables. La fuite peut se manifester de différentes façons dans notre comportement. La colère, la dépression, l'angoisse, l'anxiété, la vengeance sont autant de moyens que nous utilisons pour nous sentir mieux ou regagner du contrôle sur une situation qui nous échappe.

Il serait utopique d'imaginer l'élimination complète de toute coercition. Nous pouvons cependant viser sa diminution. Je frémis lorsque j'entends affirmer que la société québécoise est une société qui a peur de punir ses enfants. Je pense, au contraire, que nous avons mis au point un système de punition beaucoup plus raffiné et subtil que celui de nos parents! Je réfléchis, entre autres, à tout l'espoir que nous mettons en nos enfants et à toutes les déceptions que nous leur faisons vivre quand ceux-ci n'atteignent pas nos idéaux. J'entends encore les paroles d'un adolescent de dix-huit ans qui me disait : «*C'est dur de se faire juger tout le temps, de savoir que ta mère veut que tu ailles à l'université et que toi, au fond, tu sais que tu vas la décevoir...!*» Ce jeune ressent la contrainte de la coercition et il met toute son énergie à gagner du pouvoir dans sa relation avec les autres, et de façon parfois bien maladroite. Certains jeunes choisissent l'illusion de la drogue pour obtenir plus de pouvoir. D'autres contredisent systématiquement leurs parents. D'autres encore se comportent docilement en apparence et retournent leur agressivité sur leur propre corps en mangeant trop ou pas assez, en se faisant tatouer ou percer le corps.

Lors d'une conversation récente, mes parents me soulignaient comment l'éducation des enfants était différente aujourd'hui, comment les valeurs de notre société avaient évolué. Surtout, ils constataient le manque flagrant de discipline dont nous faisions preuve envers les jeunes. Avec toutes nos belles études en psychologie, nos grandes théories, nous avions peur de traumatiser nos enfants! Je leur ai demandé de m'expliquer ce qu'ils voulaient dire précisément et, de bonne grâce, mon père m'a raconté qu'à la maison, alors que j'étais enfant, tout ce qui méritait d'être fait méritait d'être bien fait! Ainsi, mon père ne tolérait pas que ma chambre soit en désordre et me rappelait fermement à l'ordre lorsque, par mégarde, j'avais oublié cette règle d'or. Cela n'a pas toujours été facile, a-t-il ajouté, mais en sachant utiliser la fermeté, nous avons finalement réussi!

Vous vous souvenez de la comptine «Quand le chat est parti, les souris dansent»? Avec un sourire amusé, j'ai fait le tour de ma maison après le départ de mes parents pour constater que malheureusement leur stratagème n'avait fonctionné que tant et aussi longtemps qu'ils avaient été présents quotidiennement dans ma vie, c'est-à-dire dans la mesure où ils pouvaient exercer des pressions, des contraintes, ou encore me récompenser. Après, j'ai eu à décider seule de ce que j'allais faire de ce bout d'éducation. C'est à moi qu'incombait dorénavant la responsabilité de décider si telle ou telle valeur me convenait, si c'était bien ou non pour moi. Booker T. Washington a dit un jour : «Vous ne pouvez maintenir quelqu'un à terre sans y rester avec lui.» J'ajouterai : «Si vous choisissez de vous relever, que choisira-t-il?»

Quand ma fille avait deux ans, elle voulait constamment manipuler notre précieuse chaîne stéréophonique. Malgré mes nombreuses interdictions, la fascination était telle qu'elle retournait toucher aux différentes commandes de l'appareil. Une amie en visite à la maison me suggéra de donner une petite tape sur la main de ma fille pour, disait-elle, «*l'aider à comprendre*». Je me suis d'abord écriée qu'il ne pouvait en être question, que cela ne faisait pas partie de mes principes d'éducation jusqu'au jour où, à bout de ressources, j'ai décidé d'appliquer la méthode de mon amie. Oh! désespoir, cela a fonctionné. Ma fille a cessé immédiatement de s'intéresser aux merveilles de la musique! Le lendemain matin, elle s'est avancée vers l'appareil interdit, l'a regardé, m'a regardée, a hésité quelques secondes, s'est donné une petite tape sur la main et, la conscience tranquille, a recommencé ses expériences acoustiques. J'ai compris alors que la punition pouvait être interprétée comme une permission de recommencer quand le délinquant estime avoir payé sa dette à la société. Le problème s'est réglé quand j'ai placé le précieux objet des désirs de ma fille hors de sa portée et que j'ai mis à sa disposition un jouet qui produisait des sons en actionnant des manettes colorées.

Cet exemple, que tout parent a vécu, illustre très bien l'approche que je veux promouvoir. Plutôt que de punir pour mettre fin à un comportement inadéquat, je préconise une démarche qui permettra à mon interlocuteur de trouver de nouveaux comportements. Bien sûr, je reconnais qu'il peut arriver des situations où le comportement inadéquat doit cesser le plus rapidement possible. Cependant, malgré ses inconvénients, ce comportement a ses raisons d'exister.

En somme, nous ne pouvons viser l'élimination d'un comportement sans en rechercher un autre qui saura satisfaire les mêmes exigences que le premier. Nous devons garder en tête que l'énergie de l'individu doit être utilisée pour s'améliorer, et non pour se justifier. C'est pourquoi je vous invite à demeurer vigilant pour bien faire la différence entre donner de l'information sur le comportement («*Je t'ai vu donner une tape à l'ami*», «*Ce que tu me dis n'est pas exact*») et critiquer ou juger l'autre («*Tu es méchante*», «*Tu es menteur*»).

Envoyer mon enfant réfléchir dans sa chambre est bien, l'envoyer réfléchir jusqu'à ce qu'il trouve un moyen de communiquer adéquatement est mieux. Retirer un jeune d'une classe est bien, le retirer jusqu'à ce qu'il trouve un moyen de se comporter de façon satisfaisante pour lui et son enseignant est encore préférable. Souligner les erreurs d'un employé est bien, travailler avec lui à ce que ces erreurs ne se reproduisent plus est encore mieux. C'est ce que j'appelle une conséquence.

La conséquence vise à aider l'individu non seulement à cesser le comportement non souhaité, mais d'abord et avant tout à l'aider à trouver de nouveaux comportements plus appropriés. Elle permet à l'individu de satisfaire ses besoins, ce que la punition n'offre pas.

Le fait de prévenir quelqu'un d'une conséquence possible s'il enfreint une règle quelconque et de ne pas l'appliquer constitue aussi une punition. En agissant ainsi, nous nions la responsabilité de la personne face au choix qu'elle a fait, nous la déresponsabilisons, nous lui enlevons du pouvoir. Lorsqu'il y a déjà eu quarante-neuf dernières fois, pourquoi faudrait-il en effet que la cinquantième dernière fois soit vraiment la dernière? Qu'est-ce qui différencie la première dernière fois de la cinquantième dernière fois? Seulement notre point de vue, notre capacité immédiate de résoudre le problème ou notre propre déséquilibre. C'est exactement ce qu'est la punition qui dépend entièrement de la personne qui l'exerce.

Parfois, la punition ou la coercition est si bien réussie que nous l'adoptons comme mode de vie personnel. Ce qui est fascinant, si je peux m'exprimer ainsi, c'est que nous apprenons à nous punir nous-mêmes : «*Au fond, je ne suis bonne à rien*», «*Je ne réussis-jamais ce que j'entreprends*», «*Eh! que je suis niaiseuse!*», «*C'est ma faute si rien ne fonctionne correctement*», «*Je m'excuse, c'est moi qui suis à blâmer*». Malheureusement, nous n'apprenons pas à modifier notre comportement, ni même à en essayer un nouveau. Nous nous contentons de répéter inlassablement les mêmes comportements insatisfaisants et de nous punir ensuite.

La culpabilité peut constituer un moyen dans le développement du sens des responsabilités. Trop souvent, elle ne sert qu'à justifier la faute commise : «*Je me sens tellement coupable de cette situation désastreuse qu'il ne me reste que l'énergie nécessaire pour m'apitoyer sur mon sort.*» Non, ce que je veux, pour mon entourage et pour moi-même, c'est que nous nous sentions pleinement responsables de nos comportements. Et, au besoin, quand nos comportements ne sont plus appropriés, que nous puissions cheminer vers de nouveaux comportements plus satisfaisants.

Conclusion

Créer un environnement où tous peuvent satisfaire leurs besoins signifie qu'il faut rechercher, deviner, expérimenter et exprimer nos besoins. Cela se traduit finalement par l'élimination, ou tout au moins la diminution, de la peur. Chez l'enfant, cette peur prend la forme d'une punition et elle se transforme peu à peu en une peur du jugement d'autrui. C'est ainsi que le jeune manifeste la peur du bulletin scolaire, que l'adulte appréhende l'évaluation du patron, que le banlieusard craint les qu'en-dira-t-on du voisinage. C'est

aussi de cette manière que se creuse l'écart entre les conjoints dans un couple quand l'estime et le respect ne s'expriment plus.

CONCLUSION

La TSD est une philosophie de vie plus qu'une approche dite aidante. Nous avons appris que les grandes lignes directrices de cette philosophie nous permettent d'obtenir une compréhension générale de ce qui se passe en nous, pour nous et autour de nous.

J'ai commencé à m'intéresser à la TSD à la fin des années 1970. Je cherchais alors désespérément une nouvelle façon d'intervenir auprès d'une clientèle de plus en plus récalcitrante au changement et à la nouveauté. Ma recherche, à l'époque, était centrée sur l'autre. Comment amener l'autre à changer, comment le motiver, comment l'aider, comment le convaincre ou l'influencer dans sa vie. Puis, au fur et à mesure que j'intégrais la TSD, c'est moi qui ai commencé à amorcer un changement.

L'intégration de cette philosophie a modifié ma vision de la clientèle, de l'autre et même de moi. En découvrant de nouvelles façons de percevoir les choses, en analysant la réalité sous un angle nouveau, en m'écoutant différemment, j'ai découvert une multitude d'interventions possibles. Il est préférable, voire souhaitable, d'intégrer la TSD à sa vie de tous les jours pour y puiser encore plus de compréhension, mais surtout pour y trouver l'espoir d'un changement, d'une vie meilleure.

Au volant de mon automobile, après une conférence à Trois-Rivières, j'écoutais à la radio d'État l'animateur Jacques Languirand raconter, entre deux grands éclats de rire, que nos perceptions de la réalité étaient emprisonnées dans nos croyances. Je n'ai pas tout de suite compris la substance de cette affirmation mais, intriguée, j'ai gardé la phrase suspendue dans ma tête pendant des semaines. Et tout à coup j'ai compris!

Il est évident — et plusieurs auteurs corroborent cette thèse — que si je crois fermement que je n'aurai jamais de chance dans la vie, eh bien! je risque probablement de passer à côté de plusieurs occasions d'en avoir. Si je suis élevée dans la croyance que l'être humain est fondamentalement mauvais, j'aurai aussi une prédisposition à en percevoir d'abord les

mauvais côtés. Il en va de même de nos croyances reli-
gieuses, de nos valeurs sociales, et même de notre bagage
culturel. Nous créons nos représentations spéciales à l'aide
de ces croyances.

Ainsi, la TSD fait maintenant partie de mes représentations
spéciales, car je crois fermement que chaque individu se
comporte toujours de façon à obtenir ses représentations
spéciales individuelles. Je crois aussi que je ne peux influencer le comportement de l'autre tant et aussi longtemps que je
n'aurai pas pris connaissance de ses représentations spéciales. Et pour connaître ses représentations spéciales, je
dois aussi devenir, pour un certain temps, une représentation spéciale pour lui.

C'est ainsi qu'en devenant significative pour l'autre je lui
permets d'élargir ses connaissances et d'accroître ses
croyances. Par mes questions, par mes comportements, je
suscite chez lui une lueur d'espoir. Accepter un nouveau
comportement, accepter une autre version des faits, accepter
un regard nouveau, accepter une nouvelle destination, tous
ces nouveaux choix ne peuvent se faire qu'avec la complicité
du guide qu'est l'intervenant, le père ou la mère, l'ami ou le
superviseur et ce, à la condition expresse que cette personne
ait travaillé à nous aider, à nous guider dans une satisfaction
responsable, c'est-à-dire sans destruction de nos besoins.

Ayant travaillé pendant quelque dix ans auprès d'une clientèle adulte atteinte de déficience intellectuelle, j'ai constaté
que, pour beaucoup de ces gens, mener une «vie normale»
signifiait mener la vie de leurs parents. Ainsi, se marier,
avoir une maison et des enfants étaient la voie à suivre. Malgré le fait qu'ils se heurtaient à de nombreux échecs, beaucoup d'entre eux n'abandonnaient pas pour autant leurs
rêves inaccessibles. Lorsque l'éducateur-parrain devenait
suffisamment significatif, qu'il devenait une représentation
spéciale — et cela pouvait prendre des années —, il n'était
pas rare de voir le bénéficiaire accepter de faire quelque
chose de nouveau, de vivre une nouvelle expérience, ou
même de travailler à changer ses valeurs. Il commençait
ainsi un nouveau processus d'auto-évaluation.

Tout comme je l'ai expliqué dans ce livre, le bénéficiaire et son intervenant identifiaient les besoins fondamentaux, clarifiaient les représentations spéciales, observaient les comportements globaux, évaluaient et réévaluaient le tout. Tout au long du processus d'intervention, nous pouvions choisir de réexaminer un comportement, une stratégie, des connaissances, ou encore choisir de nouvelles directions, de nouvelles représentations, de nouveaux défis.

Ces hommes et ces femmes, par leur courage, leurs craintes, leur détermination, m'ont enseigné l'essence même de cette approche. Nous nous dirigeons tous vers la même lumière, le même but, le même espoir. Pour le meilleur... jamais le pire.

Notes bibliographiques

1. GLASSER, William, *Control Theory*, New York, Harper & Row, 1984.

2. GOOD, E. Perry, *In Pursuit of Happiness*, New View Publication, 1989.

3. GOSSEN, Diane, *Adapté de Formation de niveau avancée parrainée par l'Institute for Control Theory, Reality Therapy and Quality Management*.

4. BOFFEY, D., et Ed. D. BARNES, *Adapté d'une formation spécialisée en toxicomanie*, Montréal, 1992.

5. GLASSER, William, *Control Theory*, New York, Harper & Row, 1984.

6. DEMING, W. Edward, *Hors de la crise*, Paris, Economica, 1988.

7. GLASSER, William, *The Quality School*, New York, Harper & Row, 1990.

8. GORDON, Thomas, *Comment apprendre l'autodiscipline aux enfants*, Montréal, Le Jour, éditeur, 1990.

Informations additionnelles

1. BÉLAIR, Francine, *Apprendre à s'entendre*, vidéo, 1992.

2. BÉLAIR, Francine, *La Théorie du contrôle*, vidéo, 1991.